私の古寺巡礼

shirasu masako
白洲正子

講談社文芸文庫

目次

私の古寺巡礼

古寺を訪ねる心――はしがきにかえて

　このごろはテレビやラジオのコマーシャルで、「捨てない心を大切に」とか、「美を知る心」なんてことをいいますが、私ははじめから、「お寺を訪ねる心」なんて上等なものは、持ち合わせていなかったように思います。昔は便利な案内書なんかなくて、和辻哲郎さんの『古寺巡礼』が唯一の手がかりでした。私は十四歳から十八歳までアメリカへ留学していたので、日本のものが珍しく、懐かしかったのかも知れません。帰ってすぐのころから、地図を頼りに、人に聞いたり、道に迷ったりしながら、方々のお寺を訪ねたものです。

　仏像に関する知識などまるでないので、ぼんやり眺めているだけでしたが、やはりほんとうに美しい仏さまは、ただ美しいというだけで、自然に拝みたくなりました。これは当たり前のことでしょう。景色がよかったことも忘れません。例えば法隆寺へ行くのでも、王子から歩くか、筒井から行くか、どちらにしても大変な道のりです。菜種やれんげの花が咲いている畑の中を縫って行くと、遠くの方に法隆寺の五重塔が見えて来る。筒井から行く時は、法起寺につづいて法輪寺、そして法隆寺の塔へとだんだん近づいて行く。それは何ともいえぬいい気分でした。その間に仏さまを拝むという気持ちが次第に作られて行く。お能の橋掛《はしがかり》でも、歌舞伎の花道でも、舞台に至るまでの過程が面白いのと同じことで、バスや車で乗りつけたのでは、興味は半減します。この忙しい世の中に、呑気なことをいうと思われるかも知れませんが、忙しい時代だから、よけいそういう「時間」が必要なのではないでしょうか。

というわけで、「古寺を訪ねる心」なんてまったく持ち合わせてはいなかった。今だって怪しいもんです。子供の時からのご縁で、神社仏閣を訪ねたり、宗教に関する注文が多いので、取材に行くことが多くなりましたが、「心」なんかにかかずらっていては、ろくな取材はできません。もっとも私の取材というのが、至って漠然《ばくぜん》としたもので、ぼんやり眺めて、なるべく楽しんで、いい気持ちになって帰って来るだけで、きょろきょろ観察して、何がつかめるというものではありません。一時、『何でも見てやろう』という本が出て、そういうことがはやったことがありますが、何もかも見ることは人間には不可能です。ただ向こうから近づいて来るものを、待っていて捕える。それが私の生まれつきの性分なんで、だれにでも勧められることじゃありませんが、しいて「心」というのなら、無心に、手ぶらで、相手が口を開いてくれるのを待つだけです。お寺ばかりでなく、私は何に対しても、そういう態度で接しているようです。

そんなわけで、私は極く自然にお寺へ入って行ったんです。案内書や解説書がなかったことも、今から考えると幸せだったかも知れません。何にもとらわれずに、否応なしに自分の眼で見ることができたから。日本の歴史や古典を多少知ったのも、歴史や文学の側からではなく、お寺と美術品に興味を持ったためです。逆にものの方から入って行ったといえましょう。

たしかに知識を持つのは必要なことですが、お寺の宝物殿や展覧会へ行っても、若い人たちが、先ず解説を読む。修学旅行ではリポートなんか書かせるから、そういうことになるんでしょうが、あれでは頭でっかちになってしまって、じかにものを見ることはできないし、まして、仏さまを拝む気持ちなんかにとてもなれないでしょう。アン・ノン族に荒らされるのは、私たちには迷惑ですが、何にもわからない人たちにも、何か魅かれるものがあるから行くんでしょう。要求があるから、週刊誌だって書くんです。ちっとも悪いことじゃない。それが伝統というものです。伝統というものは、いろいろに姿を変えて行くから、ちょっと見ただけではわかりませんが、実に深く根づよいものだと私は思っています。

仏教の信仰について私がはじめて書いたのは、今から十四、五年前、西国三十三ヵ所の巡礼を取材した時です。その時もあまり本を読みませんでしたが、読んでもちっとも参考にはならなかった。ただ、私のように信仰のないものが、そういうものを書いて冒瀆にならないかと、それだけが心配でした。ところが、信仰なんかなくても構わない、ひたすら歩けばよいと昔の人の本にあったので、安心して取材にとりかかったというわけです。

「西国巡礼」というのは、観音さまの信仰で、平安朝ごろから次第に形がととのって行き、徳川時代に世の中が治まって、民衆が伊勢詣でなどできるようになってから、はじめて現在のような形式に完成したのだと思います。最初のころは、三十三ヵ所の順序も不同でしたが、第一番の「那智」というのは、大体きまっていたようです。今も申しましたように、大衆の伊勢参りと平行して盛んになったのですが、熊野は伊勢から近いので、お参りするのに都合がよかったのかも知れません。だが、それだけじゃないということが、行ってみてわかったのです。

「那智」は滝がご神体です。私ははじめて見てひどく心を打たれました。富士山と並ぶ絶景だと思ったのです。高い山の上から岩を割って落ちてくる滝の勢いと、雷のような水音は、私の心に強い衝撃を与えました。純真だった昔の人たちにとってはなおさらのことでしょう。それは美しいというより、恐ろしい風景で、自然というものの偉大さを目に物みせて教えるように感じました。

私は若い時の経験から、なるべく古い巡礼道を歩くように心がけました。途中は汽車や車で行ったのですが、車でいきなり乗りつけると、興味が半減することを知っていたからです。那智には、杉の大木がそびえる石畳の参道があって、はるか下の方から滝の音が聞こえていました。だんだん登って行くにつれ、それが次第に大きくなって、何かとてつもないものに近づいて行く感じです。そして、期待以上のものに出会ったから、よけい感動したのです。「参道」というものは、けっしていいかげんな気持ちで造られたものではないと知りました。

第一番の札所は、――そこで参拝したしるしのお札を頂くので「札所」といいますが、「青岸渡寺」というお寺で、滝から別の峰を登った山上にあります。そこからも滝は正面に拝めますが、最初に滝を見てびっくりしてしまったものには、お寺はつけ足りのようにしか見えませんでした。この初印象は正しかったのです。那智は、太古の昔から日本人の間に行われた自然信仰の一つで、人間にとって欠くことのできない水を与える源です。ひいては水をもたらす山も木も崇拝されたことは、今も残る「神体山」や「神木」によって知ることができましょう。別の言葉でいえば、山にも木にも水にも、神さまが宿ると信じられていたのです。

そういう自然信仰が、十分に行き渡っていたところへ、六世紀のころ、仏教が入ってきた。みごとな建築や美術品をたずさえて。原始的な日本人が目を見はったのは当たり前なことです。が、いかに立派な思想や技術でも、民衆の伝統と融合しないものは滅びてしまう。詳しいことは省きますが、仏教も古くから行われた日本固有の自然信仰を取り入れることによって、発達をとげたのです。それが今も生きていることは、私たちが極く自然に、「神仏」といっていることでもわかりましょう。どこのお寺にも、神さまが鎮守社として祀ってあるし、八幡さまのように神か仏か判然としないものもある。有名な奈良の「お水取り」などは、神仏混淆《こんこう》の最たるものだと思います。

という次第で、私は何も勉強しなかったが、向こうの方から教えてくれました。「那智」が第一番の札所となったわけは、ここで強い印象を与えておけば、後は自然についてくる。わかってくる。別に意識的にそうしたわけではないでしょうが、自然にそうなったところが面白い。伝統ってのはそうしたものです。

二番の紀三井寺、三番の粉河《こかわでら》寺と歩いて行くうちに私は、これは那智の変奏曲だなということに気がつきました。環境はちがっても、どこのお寺にも、山と木と水がある。そしてお寺は必ず景色のいい場所に建っていました。観音さまが住んでいるところは、「補陀《ふだ》落浄土《らくじょうど》」といって、海の中の高い山の上にあり、美しい白い花が咲き乱れていると、説かれています。自然が美しい日本では、みなそういう所を選んで寺を造ったので、皆さんよくご存じの京都の清水寺も、山の上に建っています。だから木があって水（滝）もある。滝は今では小さくなりましたが、「清水」の名の起こりは、そこから出ているのです。

「西国巡礼」の道順がよくできていることにも感心しました。はじめのうちは、とてもくたびれたのですが、毎日歩いてる間に調子にのってくる。足の方が先に出てしまうという感じで、お腹はすく、食べものはおいしい、病気がちだった私はすっかり健康になりました。それだけでも大したご利益でしたが、大げさにいえば、日本の文化の伝統というものを、大づかみに身体で覚えたことでしょう。信仰がなくても、ただ歩けばいいと古人が教えたのはまことに正しい。信仰は未だに持っているとはいえませんが、曲がりなりにも自分の道は発見できたといえるかも知れません。何でもいい、考えてないで、まずやってみることです。やっているうちに、何か発見できる。考えることも、知識を得ることも、いくらでも後からできると思います。

五、六年前に、『十一面観音巡礼』という本を書きました。前の『西国巡礼』を少し発展させたもので、十一面観音が未だにはやっているのは何故か、という疑問を抱いたのです。仏教の知識がちっともないので、またしても歩いてみるほかなかったのですが、結果を先にいいますと、何だかちっともわからなかった。わからないなりに、非常に面白かったんです。まとめるのは専門家が、その気になればして下さるでしょう。仏教の研究なんかはじめたら、一生かかってしまうから、私はとにもかくにも実行にうつしたというわけです。

十一面観音というのは、天平時代にはじまった信仰で、仏像の傑作が多いことでも群をぬいています。この観音さまに特有なのは、頭の上に三つずつ、瞋面《しんめん》、牙出面《げしゅつめん》、菩薩面《ぼさつめん》など、違う顔を持っていることで、後ろに暴悪大笑面《ぼうあくだいしょうめん》をつけている場合もある。そして、てっぺんには仏面を頂いており、それで都合十一面になるのですが、名称にも多少の違いがあり、本体の観音さまのお顔を入れて、十一面になっている場合もあります。そんなこまかいことはさておいて、ちょっと想像力を働かせるなら、それら人間の持つ罪悪や暴力を克服して、仏さまの境地に至る意味をもっていることはわかりましょう。

観世音菩薩の「菩薩」というのは、仏になることを理想として修行している人間の意で、成道《じょうどう》以前の釈迦の姿を現しているともいいます。観音さまの特徴は、三十三身に変化《へんげ》して、衆生を救うことですが、三十三という数は、多くの数を表すだけで、実は無限に変化するといってもいい。それを三分の一に省略したのが十一面観音で、千の数で表したのが千手観音です。どちらにしても、多くの姿に変身して人間を救済するのが観音さまだといえましょう。

古い物語には、観音さまが子供に化けて、人の病を救ったとか、また美しい観音像に恋をした坊さんが、夢の中で一夜をともに過ごし、醒めてみたらその観音さまだったので、一念発起して入信したとか、そういう逸話は無数にあります。何にでも変化するのですから、時には荒神《あらがみ》にもなり、慈悲に満ちた優しい女性にもなる。頭に頂いた十一面は、そういうことも同時に象徴しているのです。

だからお地蔵さんや不動明王といっしょに祀ってあることも、しばしばある。もっと顕著なのは、十一面観音が在るところには、必ずといっていい程、聖天《しょうてん》さまを祀っていることで、今ではすっかりお株を奪われて、本尊の観音さまより、聖天信仰の方がずっと盛んになっているお寺が多いのです。この聖天さまというのは、歓喜天《かんぎてん》ともいって、性の喜びを象徴する印度的な神さまで、象が二匹で抱き合っている姿で表わされています。昔、印度に、ガネーシャという荒神がいて、あまり乱暴を働くので、その心を鎮めるために、十一面観音が、自分の肉体を与えて、悪を善に変えたという説話に出ており、観音の慈悲が普遍であることを語っています。

二体の象のうち、冠をかぶっている方が女で、つまり十一面観音で、象は強い精力の象徴に違いありません。そういう神さまだから、水商売の人々に信仰されていて、だからはやっているのですが、元はといえば、十一面観音が、何にでも姿を変じて、人を救済するということから出ているので、それには深い思想が秘められています。これはその一例にすぎませんけれども、十一面観音の思想は、底なしの沼みたいに深くて、とてもわからないというのが実感でした。が、無理に結論を求める必要はない、——わかったといえば、そのことだけで、つじつまを合わせるだけが人生じゃないと、歩いている間に知ったといえましょう。

天平の仏像の中では、聖林寺《しょうりんじ》の十一面観音が一番私は好きですが、仏像を見るためには、環境も大切だと思います。博物館や展覧会に並んでいるのは、研究のためにはいいかも知れませんが、私のように勝手な鑑賞をするものにとっては、物質的に見えてなりません。たしかに仏さまも、彫刻になれば一個の物質には違いありませんけれど、さんざんお寺を探し歩いて、いい景色のところに、思いがけなく桜が咲いていたりして、仏さまに出会う時は、私みたいに信仰心のないものでも、救われる思いがするものです。

例の和辻さんの『古寺巡礼』を持って、はじめて聖林寺をおとずれたのは、二十二、三歳のころだったでしょうか。道がなかなかわからなくて、夕方になってしまいました。ようやく探しあてた聖林寺の門前には、しだれ桜が夕日をあびて咲いており、遠くの方に春《はる》霞《がすみ》にかすんだ三輪山が見渡せます。ほっとして、案内を請うと、年をとった住職が出て来られた。先代か先々代の住職です。

聖林寺の本尊はお地蔵さまですが、その隣りの暗い部屋の中に、私が写真で見てあこがれていた十一面観音が、すらりと立っていらっしゃいました。すらり、といっても、腰から下は板でおおってあって見えなかったのですが、そばへよって十分に拝観することができました。後姿は、縁側から降りて、外から見ることができたのです。

その時の感動は、今思い出してもぞくぞくする程、強いものでした。老住職はその前に座って、十一面観音が聖林寺へ来られた由来を語って下さいました。——フェノロサというアメリカ人は、明治時代に、日本の仏教美術のために大変つくした人で、法隆寺の夢殿の観音さまも、秘仏であったのを、この人が開いて世間に公開したのです。そのフェノロサガ、三輪神社の大御輪寺《だいごりんじ》（おおみわでらともよむ）の床下に、天平の仏像が放ってあるのを発見し、こんなことをしておいては勿体ないといって、荷車を引いて、聖林寺へ運んで来た。その荷車の後押しをしたのが、当時十二歳であった住職で、その仏像がこの観音さまだと話して下さったのです。

今、本尊は収蔵庫に入っていますが、あのみすぼらしい部屋で見た時ほどの感動を受けません。私が見馴れたせいではなく、収蔵庫には、仏さまをお守りしているという雰囲気がまるでないからです。中宮寺の弥勒菩薩《みろくぼさつ》でも、近江の渡岸寺の十一面観音でも、元はふつうの部屋に祀ってあって、身近に拝むことができました。火災や地震から守るために、コンクリートの収蔵庫におさめることは必要でしょうが、何かよそよそしい冷たさを感じることはいたし方がない。村の人々の信仰からも離れてしまって、物質化するのは時代のせいで止むを得ないことでしょう。が、せめて私たちだけでも、ただ見物するという、敬虔な気持ちを忘れずに接したいものです。もしその気にさえなれば、向こうの方から必ず語りかけるものがあるはずです。

西行法師は、伊勢神宮に詣でて、次のような歌を詠みました。お寺や仏像の場合も何ら異なるところはない、日本人が昔から持ちつづけた「神仏」に対する気持ちといっていいでしょう。

何事のおはしますかは知らねども

かたじけなさに涙こぼるる

若狭紀行

はじめて私が若狭を訪れたのは、今から十五、六年前のことである。西国三十三ヵ所の巡礼を取材した時、丹後の天の橋立から青葉山松尾寺《まつおでら》へ参り、近江の竹生島《ちくぶしま》へ行く途中であった。かねてから東大寺二月堂のお水取りのもとが若狭にあると聞いており、興味があるので寄ってみた。当時はまだ交通も不便だったし、案内書もなかったため、まったく手探りの旅であったが、そうしてたずね当てた時の喜びはひとしお深い。未だに忘れることのできぬ憶い出として残っている。

それは小浜市から東南の遠敷川《おにゆうがわ》の谷あいにあった。ささやかな川にそって、若狭姫《わかさひめ》、若《わか》狭彦《さひこ》の神社が建ち、そこから更に奥へわけ入ったところの「鵜《う》の瀬《せ》」に、「東大寺」と記した小さな鳥居がある。牛車を引いて通った村の人に、そこだと教えられたが、何故そんなところがお水取りのもとなのか、当時の私は知る由もなかった。が、人も通わぬ山奥の河原に、ひっそりと建つ黒木の鳥居は、私に不思議な印象を与え、後に『十一面観音巡礼』を書く機縁となった。今、そのことに詳しくふれているひまはないが、二月堂のお水取りは、本尊の十一面観音にささげる香水《こうずい》を、「若狭井《わかさい》」から汲むことが中心になっており、その水は若狭の遠敷川から来ると伝えている。一方、若狭の側でも、いつの頃か「お水送り」という神事が行われるようになって、毎年お水取りがはじまる前の三月二日、遠敷川の鵜の瀬において、奈良へ水を送る祭がある。若狭彦神社の旧神宮寺《じんぐうじ》の住職が、この行事を司っており、後に私は拝見することを得たが、雪の中で土地の人々が手に手に松明をかかげ、「これから奈良へ水を送ります」という祝詞《のりと》を、河原で読んで水に流す光景は、まことに感銘の深いものであった。

天平時代の神話めいた伝説であるから、実際に遠敷川の水が、二月堂の若狭井に通じているとは信じにくい。が、平城宮などで発掘される木簡《もつかん》には、若狭から多くの貢物が朝廷へ送られたことが記してあり、奈良とは特別関係が深かったことを示している。若狭には、朝鮮その他の国々から渡来した人々もたくさんいたから、貢物だけではなく、僧侶や技術家なども相ついで都へ上ったであろう。特に東大寺建立のような大事業には、彼らの尽力をぬきにしては考えられない。そういうものが総合されて、「若狭井」の伝承となったのではあるまいか。遠敷川をさかのぼって、峠を越えればすぐ京都府の県境で、生活に必要な塩も穀物も魚介類も、日に夜をついで運ばれたに違いない。都が京都に移った後は、その関係はいよいよ密接なものとなり、京都へ通じる街道は、「鯖の道」と呼ばれるに至った。鯖だけではなく、若狭のかれい、ぐじ、蟹などは、今でも京都の台所をうるおしており、夏休みには何百万という人々が海水浴や釣に行く、といった工合で、風光明媚な若狭の国は、いわば都の裏方、もしくは楽屋の役目を果しているといっても、間違ってはいないと思う。

しぜん若狭の住人は、都の文化の影響をうけて今に至っている。幸か不幸か、いつも縁の下の力持的な立場にあったため、都会の悪風に犯されてはいず、自然の風景は昔のままに美しく、人間の気風も至って穏やかである。小浜市の中だけでも、お寺が百三十数ヵ寺もあり、神社もほぼ同じ数だけあるというから、よほど信仰心が篤い地方に違いない。ここに全部を記すことはできないが、そういう風土を愛して、その後たびたび訪れている間に私は、いくらか若狭の特殊性について知ることを得た。何人か、知己もできた。この度の旅行では、郷土の歴史に詳しい永江秀雄氏と岡村昌二郎氏につき合って頂き、一人旅では到底望めぬ経験をしたのは幸いであった。

地図でみてもわかるように、若狭は東西に長く、南北にせまい国で、海の近くまで山がせまっている。その山あいの谷の一つ一つに川が流れており、川にそって神社仏閣が建っているという、日本の縮図みたいな地形である。したがって、その文化も、海洋と山岳の両方にわかれ、大陸系、出雲系、北陸系、大和系のものが入り交っているので、大変わかりにくい。今はそういう問題にはふれずに、ありのままの若狭の自然と、美しい風物について記してみよう。

はじめに述べた遠敷川の流域も、ささやかながらそういう文化圏の一つである。川の西側に若狭姫、若狭彦と、その神宮寺などが並び、東側には万徳寺、明通寺《みょうつうじ》、少し離れて天徳寺という古刹が建っている。また、遠敷谷の入口に当る街道筋には、国分寺があって、このへんから上中町《かみなかまち》へかけてが、古代若狭の中心地であったことがわかる。

諸国の国分寺の中には、建立されずに終ったところも、滅びてしまった寺もあるが、ここは比較的よく保存されている方で、鎌倉時代の薬師仏と、釈迦《しゃか》如来《にょらい》が祀ってある。最近発掘されて、堂塔の礎石なども整備されているが、昔来た時は野中の荒れ寺といった風なたたずまいで、私はむしろその頃の物さびた風景がなつかしい。同じことは「お水送り」が行われる鵜の瀬についてもいえる。近頃は地方の祭や観光が盛んになったせいか、黒木の鳥居が建っていた河原も、整然と石垣でかためられ、鳥居も大げさなものに変ってい て、夢をこわすことおびただしい。都会人の勝手な空想だといってしまえばそれまでだが、いくらお金が入るからといって、自然の景色まで破壊するのはいかがなものか。ほかの地方は知らず、せめて若狭の国だけは、古い文化のふる里として、昔のままに残しておいてほしいと思う。

明通寺は大同元年(八〇六)、坂上田村麿《さかのうえのたむらまろ》の草創による古刹である。ゆずり木の大木で、三尊仏を彫刻したと伝え、昔は「ゆずりき寺」とも称したと聞くが、現在の山号も「楞木山《ゆずりぎざん》　明通寺」という。その名にふさわしい幽邃《ゆうすい》の境で、杉木立の中を登って行くと、右手にどっしりとした本堂が見えて来る。その向うに軽快な三重の塔も望める。ともに鎌倉時代（十三世紀）の堂々とした建築で、本堂の内陣には、藤原時代の薬師如来を中尊に、二体の脇士《わきじ》が祀ってある。脇士の降三世《ごうざんぜ》明王と、深沙大将《じんじゃだいしょう》は、特にみごとな彫刻で、いかにも山奥の寺らしい森厳の気にあふれている。

昼なお暗い明通寺の境内から、万徳寺へ行くと、別世界の明るさである。ここには有名な枯山水の庭園がある。背後に樹木がうっそうと繁る山をひかえ、中心に巨石を据えて、まわりをつつじ、さざんか、もみじなどでかこみ、前面に白砂を敷きつめた庭園は、素人の目にも極楽浄土、もしくは曼荼羅《まんだら》の世界を現していることがわかる。ことに左手の斜面にそびえるもみじはみごとな老木で、樹齢五百年と聞いた。まだ紅葉には早かったが、単に大きいだけではなく、その枝ぶりのよさは比類がない。このもみじを神木とみれば、中心に据えた巨石は本尊で、無言のうちに真言密教の本意を物語っている。それも京都の名園のように完成されてはいず、したがってせせこましくはなく、周囲の自然の中に、ゆったりととけこんでいるのが気持よい。東の岡の上には、美しい木彫の阿弥陀さまが祀ってあり、勝手にお参り下さい、といわれる。戦国時代には、重罪人の駆込寺《かけこみでら》であったと聞くが、今でも開放的で、勿体ぶらないところは、若狭の寺の特徴であると思う。

小浜の東南に、多田ケ岳という山がそびえている。遠敷川はその東を流れているが、西北の谷には多田寺《ただでら》と妙楽寺が建っている。古い神社仏閣が、おおむね多田ケ岳の山麓に見出されるのは、仏教が渡来する以前から、このあたりでは随一の神山であったに違いない。街道からそれて山道へ入ると、多田神社があり、やがて多田寺に至る。明治の神仏分離令によって、神社と寺にわかれたのであろう。もともと日本の宗教は、神仏が習合して発展したのであるから、心ない政策によって、社寺の歴史がわからなくなっている場合は多い。多田寺などもその一つで、多田ケ岳の山岳信仰に、仏教が結びついて発達したことは明らかだが、何度も火災に会ったらしく、今はささやかなお堂を残すのみである。が、そこに祀られている仏像はみごとなもので、薬師如来の両側に、日光・月光が並んでいる。いずれも地方作ながら、奈良時代の面影を残した彫刻で、三体のうちでは日光がもっとも古風で美しい。この日光菩薩は、実は十一面観音で、かつては多田ケ岳の峯の上に祀ってあったのだろう。いかにも山の仏といったような素朴な笑みをたたえており、護摩の煙にいぶされて、全身が真黒になっている。

そこから程近い妙楽寺も、昔は多田ケ岳をめぐる行場の一つであったと思われる。奈良時代、行基《ぎょうき》の草創で、後に弘法大師が伽藍を建立したと伝えている。今は往時の盛観を偲《しの》ぶべくもないが、苔むした参道には、野菊やりんどうが咲き乱れ、人里はなれた霊地といった感じがする。この寺の本堂は、鎌倉時代の優雅な建築で、緑したたる木々にかこまれて、千年の眠りの中に鎮まっている。同じ鎌倉時代の建造物でも、明通寺のそれとは違い、阿弥陀堂の様式であるため、軽快で清楚な印象を与える。住職がお留守だったので、本尊の千手観音は拝観できなかったが、平安時代の作だそうで、頭上に二十四面を頂いているというのは珍しい。さまざまの形に変化《へんげ》して、衆生を救済するのが観音さまの本願であるから、十一面でも、二十四面でも、或いは千手でも、その現すところの意味は一つであるが、人間の煩悩《ぼんのう》を断つために、時には恐しい忿怒相《ふんぬそう》で表現される場合もある。

小浜から海岸線にそって西へ行くと、絵のような入江が次から次へと現れ、前方に青葉山が見えて来る。山の頂上は、若狭と丹後の境になっていて、西国二十九番の札所、松尾寺がある。昔、巡礼の取材に行った時のことが、昨日のように思い出されるが、これからお参りに行く中山寺《なかやまでら》も、同じ青葉山の中腹に建っている。

山門を入ると、目の前にすばらしい眺望が現れた。今通って来た若狭湾から、和田の海、青戸の入江などが、微妙に入組んで一望のもとに見渡される。自然の環境は、人間の上にも影響を及ぼすのか、中山寺の住職夫妻も、まことに濶達な方たちで、直ちに本堂の扉をあけて迎え入れて下さる。本堂は檜皮葺《ひわだぶき》のゆったりした建築で、広々とした風景の中にぴったりおさまって見える。

やがて、厨子の扉が開かれたとたん、私は思わず眼を見はった。そこには実に美しい馬頭観音が端座していられたのだ。馬頭観音は、三面八臂《はっぴ》の忿怒相で、逆立つ頭髪の上に、馬の首を頂き、凄まじい形相で睨みつけているが、その姿体は柔軟で、気負ったところが一つもない。ことに手足の美しさは、さわってみたい衝動に駆られるほどで、そこには柔と剛、静と動が、みごとな調和を保って表現されている。それは理屈ぬきで、観音の慈悲というものを教えるようであった。この本尊は、三十三年目に開帳されるとかで、十月には厨子を閉ざすと住職はいわれたが、最初から計画したわけではないのに、偶然このような仏にめぐり会えたことは、何という幸せであることか。私は仏教信者ではないけれども、「結縁《けちえん》（仏道の因縁）」という言葉を想ってみずにはいられなかった。

中山寺から野中の道を、十五分ほど行ったところに、馬居寺《まごじ》という古刹がある。戦国時代に、白石城という砦が建っていた山の麓に、人知れず鎮まっている山寺である。ここの本尊も馬頭観音で、住職は中山寺の弟さんであると聞いた。同じ馬頭観音でも、時代は前者よりはるかに古く、平安初期の彫刻で、青葉山をめぐる山岳信仰の本尊であったに違いない。そういえば、松尾寺の本尊も馬頭観音だが、なぜ青葉山に馬頭の信仰が発達したのだろう。わずかに想像できるのは、荒々しい山岳の修行には、優美な観音さまより、忿怒相が適していたということで、山岳信仰の本尊が不動明王に定着するまでの、過渡期の仏ではなかったかと思う。

中山寺の本尊は、馬居寺のそれを模したといわれているが、まったく違う形式の仏像である。護摩にいぶされて、真黒になっていられるが、さすがに古いだけあって、おっとりした風貌で、表情もさほど誇張されてはいない。恐しいというより、内に力を秘めたしっかりした彫刻といえるであろう。境内には、およそ二百体に及ぶ石仏が、樅の大木のもとにるいるいと重なり合い、一種異様な感じを与える。戦国の兵火に滅びた人々の供養のためか、それとも近在の廃寺の石仏を集めたものか、彼らは黙して語らないが、やがて私たちも間違いなく、同じ運命をたどるかと思えば、無縁のものとは考えられない。いや、この世で出会う一木一草たりとも、縁あってこそ会えたので、だから大切にしなければならない、近ごろ私はそう思うようになっている。

連日のお寺参りに疲れたので、翌日は海岸にそって東の方へドライヴに行く。その前に羽賀寺へお参りした。羽賀寺には若狭で一番美しい十一面観音があり、欠かすことはできないからである。この前来た時は雪が深くて苦労したが、今日はうらうらとした小春日和で、小浜から二十分足らずでお寺に着く。観音堂は、門前から左へ登った岡の上にあり、参詣人でもあるのか、扉は既に開かれていた。

この寺は霊亀二年（七一六）行基の草創で、本尊は元正天皇のお姿を模《うつ》したといわれている。極彩色で等身大の十一面観音であるが、実際の製作年代はそれより少し下るらしい。長い間秘仏であったため、彩色が鮮やかに残っており、あたかも生けるが如き微笑をたたえて、すらりと立っていられる。前に来た時は、ろうそくの火影で拝したので、この世のものならず映ったが、最近は蛍光灯に変ったので、心なしか面映ゆそうに青ざめて見える。観光客へのサービスのためだろうが、何といっても仏像は信仰の対象であるから、多少の不便は我慢しても、ともし火のもとでほのかに拝みたいものである。それは羽賀寺だけではなく、ほかの寺院でも痛感したことであった。

そこから細い田圃道を北へ行くと、間もなく海岸へ出る。遠くの方に小さな島が見えるのを、「あれが沖の石です」と、岡村さんが指さして下さる。

わが袖は汐干《しほひ》にみえぬ沖の石の
　人こそ知らねかはくまもなし

と、二条院讃岐が詠んだあの沖の石であるという。讃岐は源三位《げんざんみ》頼政の女《むすめ》で、父に劣らぬ和歌の名手であったが、彼女の伝記には不明な点が多く、わずかに二条天皇に仕えたことと、七十何歳まで生きのびたことしかわかってはいない。若狭には頼政の領地があり、その邸跡も残っているから、かりにこの「沖の石」が単なる歌枕であったにしても、讃岐にとっては現実に存在するなつかしい石であったと思う。石といっても、近くへ寄ってみると、かなり大きなもので、樹木が繁茂しており、古くは神の島ではなかったかと想像される。ともあれ讃岐は、この歌によって名声を得、「沖の石の讃岐」と呼ばれるに至ったのである。

矢代《やしろ》という村は、頼政が鵺《ぬえ》退治に使った矢を作ったところとか、また田烏《たがらす》という集落には、讃岐が身を投げて死んだという祠《ほこら》も残っている。ここでは「釣姫明神」となって祀られているが、讃岐が投身自殺をしたという確証はどこにもない。父親の死後も、宮廷の歌合せなどに出仕しているから、これはほかの哀れな女の物語と混同されたのではなかろうか。このように頼政父子の話が至るところに残っているのをみると、平家に敵対した源氏の老武者に、土地の人々が同情をよせていたことは確かで、稀にみる立派な領主であったに違いない。

矢代のあたりには、民宿が並んでいて、夏になると、車も通れぬほど雑沓するという。が、今は閑散とした漁村で、どこからともなくのんびりしたご詠歌が聞えて来る。ちょうど彼岸の終りの日に当るので、村の人々が寺に集って、歌っているのであろう。悲しいような、楽しいような歌声が、さざ波の音にまじって、いつ果てるともなくつづいて行き、やがては黒潮の流れに乗って、遠い海のかなたまで運ばれて行くようであった。

お寺は福寿寺といい、毎年四月三日には、「手杵《てきね》祭」という奇祭が行われるという。孝謙天皇の御代、というから天平時代のことだろう、矢代の浜べに流れついた唐船があった。その中には唐人の姫君をふくめて、八人の美女が乗っており、素樸な村びとは、一旦は助けて、歓待したものの、船中に財宝が積んであると聞き、彼らを殺して宝物を奪ってしまった。が、日を経るにしたがい、罪の意識に悩まされ、唐船の材木で寺を建立し、姫君の持仏の観音さまを本尊として祀った。そして、懺悔《ざんげ》のために、彼らを殺すに至った次第を舞踊に作り、哀れな人々の霊を慰めたというのである。

その祭を見たわけではないので、実際にどんなものだかわからないが、写真で接したかぎりでは、琉球の神事によく似ており、もしかすると、唐の姫君というのは、琉球のお姫さまであったかもわからない。というより、矢代の漁民の祖先が、はるか昔に南方の島々から渡って来て、彼らの祭を伝えたのではあるまいか。黒潮の流れは、思いもかけぬ北国のはてに、南洋の植物を運んで来たりするが、若狭には意外に南国の文化が浸透しているのである。現に若狭の一の宮である若狭彦も、日本書紀の神話にあるヒコホホデミノミコトが、海のかなたから多田ケ岳に降臨したと伝えており、「お水送り」の神事にも、不可解な点は多い。海の幸、山の幸にめぐまれた美しい背面《そとも》の国の魅力は、ひとえにその謎めいた生い立ちにかかっており、永遠に私たちをとらえて放さぬであろう。

お水取りの不思議

東大寺二月堂のお水取りは、毎年テレビで放送され、ものの本にも書かれて、一般によく知れわたっている。が、お水取りというのは、三月一日から十四日にかけて行われる修《しゅ》二会《にえ》の一部で、必ずしも東大寺にかぎるわけではない。たとえば笠置《かさぎ》の正月堂でも、奈良の秋篠寺《あきしのでら》でも、その他多くの神社仏閣で、古代から行われている「霊水を汲む」神事なのである。

人間にとって、水は欠くことのできぬ生命の泉である。ことさら農耕をなりわいとする民族にとっては、田畑をうるおす水ほど大切なものはない。そこに水の神を祀る信仰が芽生え、井戸を神聖なものとして崇める習慣が生れた。それは仏教が渡来するよりはるか以前のことで、縄文・弥生の遺跡をみても、泉が生活の中心をなしていたことがわかる。稲作が一般化されるようになると、苗代を作る春に先がけて、若水を汲んで神にささげ、豊穣を祈願するようになって行った。そうでなくても早春の頃は、長い冬籠りから目ざめて、草も木も人間も、潑溂《はつらつ》とした生命力にあふれる季節である。太陰暦の正月・二月は、ちょうどそういう時期に当る。太古から民衆の間で行われた春の祭りに、仏教が結びついてできたのが、正月に行う修正会《しゅしょうえ》であり、二月に行う修二会であって、「二月堂」の名もそこから出ている。

二週間にわたる行法《ぎょうぼう》の中で、三月十二日の真夜中に行うのが「お水取り」で、二月堂の前にある「若狭井《わかさい》」から、聖なる水を汲んで本尊にささげる。その時は、特別大きな松明を焚き、美々しい行列がお堂を出て、井戸から水を汲みあげる儀式がある。その光景があまりに見事であるために、お水取りだけが有名になり、ひいては修二会の総称ともなったのであるが、本来は新鮮な若水を汲んで、本尊に供えるだけのことにすぎない。おそらくそれは二月堂が建つ以前から、里びとによって営まれた神事で、後に仏教の中に取り入れられたのであろう。それが神事である証拠には、水を取ることは、咒師《しゅし》という役目によってなされるからで、その他の僧侶たちは、井戸のそばへ近づくことも許されないのである。

お水取りには、そういう不思議な約束が沢山ある。千二百年以上もつづいたお祭りには、不可解な点が多く、知れば知るほど奥が深いことを痛感せずにはいられない。今私は、修二会は三月一日にはじまるといったが、それは修法《しゅほう》の場が二月堂に移されるという意味で、実際にはそれより十日ほど前の、二月二十日にはじまっている。修二会に参加する僧侶のことを、「練行衆《れんぎょうしゅう》」と呼ぶが、そのほかに身のまわりの世話をする童子・仲間《ちゅうげん》などが加わり、戒壇院の別火坊《べっかぼう》に籠って、物心の用意をととのえる。別火とは、かまどの火を別にする意味で、日常の生活から離れて、清浄な境地に入って行くことをいう。その間に、経文や法螺貝の稽古をしたり、仏前に供える造り花や松明の準備をしたりする。お水取りの行法は、非常に烈しい肉体労働であるから、それに堪えるためにも、スポーツマンが合宿をして身体を鍛えるように、心身の鍛練を必要とするのである。

別火は「試別火《ころべっか》」と「総別火《そうべっか》」に分れていて、二月二十六日には、戒壇院から二月堂の横の宿所に移って、「総別火」に入る。ここでの修行は、一そうきびしくなって、毎日行水をしたり、祝詞を唱えて、お祓いをしたりする。喫煙も私語もゆるされない。坊さんが祝詞を唱えたり、みそぎをしたりするのも、神事に出たことを語っており、お水取りの中で神仏は完全に混淆《こんこう》している。別の言葉でいえば、古代からの民衆の祭りと、仏教の行事が渾然と入り交って、見事に調和していることが、千数百年の長きにわたって存続された所以であろう。

先にもいったように、お水取りには不可解な点が多いが、修二会をはじめたのは、東大寺の開山、良弁《ろうべん》僧正の高弟であった実忠《じっちゅう》和尚である。彼はインドから渡来した僧だったともいわれ、東大寺建立に当っては、さまざまの功績があった。天平勝宝三年（七五一）

十月、笠置の龍穴にこもって修行をしていた時、夢に弥勒菩薩《みろくぼさつ》の浄土へ導かれ、聖衆《しょうじゅ》が集まって十一面悔過《けか》を修している光景に接した。十一面悔過というのは、十一面観音の前で、罪を懺悔することによって仏果を得る法で、修二会の骨子をなしているのがこれである。

実忠和尚は荘厳な光景をまのあたりに見て、現実世界に移したいと願ったが、肝心の本尊がいられない。そこで、難波の海に向って、一心に祈っていると、百日ばかり経って、金色燦然たる観音様が、閼伽器《あか》（霊水を入れる器）に乗って現れた。直ちにそれを東大寺に移し、翌天平勝宝四年（七五二）二月一日に創始したのが、修二会のはじまりである。以来、千二百数十年にわたって、一度も欠かさず行われて来た、その事実だけでも驚くべきことであるが、長い間には付加されたものも、整理されたことも多かったに違いない。そのはじめの形が、どのようなものであったか知る由もないが、現在のようにととのったものではなく、東山の庵室の中で、里びととともに実忠が、持仏の十一面観音をひそかに祀っていたのではあるまいか。東大寺には、別に修正会もあり、これは公けの行事であったから、民衆の間に仏教を流布するために、あらたに考案したのがお水取りであったかも知れない。

笠置の龍穴で霊感を得たというのも、にわかには信じられないが、笠置から伊賀・信楽《しがらき》のあたりは、東大寺建立のために大量の材木を徴集した地方で、実忠和尚のいわば勢力範囲であった。彼が修行をしたという龍穴も未だに遺っているが、笠置から程近い三重県島ケ原の観菩《かんぼ》提寺《だいじ》には、そこで行われていたお水取りを模して、二月堂へ移したという伝説が伝わっている。現在は二月九、十日に行っているが、修法の次第は二月堂のお水取りとほぼ同じで、異なる点といえば、規模が小さいのと、多分に土俗的な匂いをとどめていることだ。そこでは坊さんたちより、土地の人々が主役で、頭屋《とうや》の家に集まって、大きな餅をつき、お酒に酔っぱらって本堂にお供えをかつぎこみ、朝まで揉みあって騒ぐのである。それは冬の間におとろえた生命を呼びさまし、春を迎える原始的な祭りの面影を残している。実忠和尚が直接それを模したとは考えられないが、外来の仏教を拡めるためには、民衆の伝統を無視することはできなかったと思う。その土台の上に打ち建てたのが、二月堂の修二会であり、十一面悔過であって、私たちの間で未だに「お水取り」と呼ばれているのも、民族の伝統の力がいかに強いものであるか、難解な仏教の理論より、「若水を汲む」という単純な行為の中に、春を寿《ことほ》ぐ心と、新しい生命の復活が、理窟ぬきで信じられていることを物語っている。

　お水取りの井戸を「若狭井」と呼ぶことは前に記したが、『東大寺要録』によると、実忠和尚が修二会をはじめた時、毎日初夜《しょや》（七時～八時）の終りに『神名帳《じんみょうちょう》』を読むならわしであった。行法を守護するために、諸国の神々を勧請《かんじょう》したので、これは今でも行われていることである。ところが、若狭の遠敷《おにゅう》明神は、釣が好きだったので、集合の時間に間に合わず、お詫びのしるしに、本尊にささげる閼伽水《あかみず》を献じることを誓った。その時、黒白二羽の鵜が、磐石をうがって地中から飛びたち、その跡から香水《こうずい》が勢よく湧出した。よって、「若狭井」と名づけ、その水を本尊にささげる風習が起ったというのである。

一方、若狭の遠敷川では、明神が奈良へ水を送ったため、にわかに河水が涸れたので、世人は「音無《おとなし》川」と呼んだと伝えている。奈良でお水取りがはじまる前の三月二日には、若狭の遠敷川で「お水送り」という祭りを行っており、神主が「これから奈良へ水を送ります」という意味の願文《がんもん》を読み、それを川へ流す儀式がある。もしかすると、それは後にできたものかも知れないが、まったく架空の物語を昔の人々が信じたとは思えない。先に記した観菩提寺でも、秋篠寺でも、若狭と奈良の間には、水脈が通じているという言い伝えがあり、お水取りの源流が若狭にあることを、「お水送り」という形で象徴しているのかも知れない。若狭は古くから渡来人が多く移り住んだ地方で、十一面観音を祀る寺院がたくさんあり、良弁や実忠の事跡も遺っている。現に「お水送り」の主役をつとめる人物を、「原井太夫」といい、良弁僧正の生家の子孫だといわれている。良弁の出生については、さまざまの説があるが、幼児の頃、鷲にさらわれて、東大寺二月堂の「良弁杉《ろうべんすぎ》」の根元に捨てられていたという話は有名である。私がはじめてお水取りを見に行った時——それは戦前のことであるが、まだ良弁杉は健在で、二月堂の前に堂々とした姿でそびえていた。が、先年の台風に惜しくも倒壊し、現在は大きな切株だけが残っている。そういう伝説のすべてを鵜呑みにするわけには行かないが、二月堂と若狭の間には、切っても切れぬ縁があることを、それらの逸話は暗示しているように思う。

今もいったように、私は何十年も前からお水取りを見て来た。何かこういう古い祭りには、人をとらえるいうにいわれぬ魅力があり、一度経験すると何度も行きたくなるものらしい。ある年などは、修二会のはじまる三月一日から十四日まで、毎晩欠かさずつめていたこともある。その次第を書くことは、専門的になりすぎるので省略するが、毎日日没から明けがたまでつづき、これを「六時の行法」と称している。「おたいまつ」が出たり、『神名帳』を読むのは毎夜のことであるが、その他の作法は少しずつ違っているだけで、大同小異である。その中で、三月五日に行うのを「実忠忌」といい、実忠和尚の命日に当る。和尚は長命で、九十歳に近い頃まで生きていられたが、大同四年（八〇九）二月五日、二月堂で修二会を行じている最中、本尊の壇の下に入ったまま、出て来られなかったという。よって、その日を命日に定めたと伝えているが、もしそれが事実であるとすれば、二月堂は彼の墓所とみることもできよう。彼は良弁僧正の高弟であったにもかかわらず、一介の聖《ひじり》として終ったが、お水取りを遺したことは、日本の文化のためにも偉大な功績であり、今の世までこのようにして供養されることは、仏教の僧侶として最大の栄誉といえるであろう。

ついで三月七日には、難波の海で閼伽器に乗って現れたという「小《こ》観音《かんのん》の出御」がある。二月堂には、本尊の「大観音《おおかんのん》」と、この「小観音」と、大小二つの十一面観音が祀られているが、お水取りの本尊は、その出生からして小観音の方であろう。ふだんは内陣の奥に、お輿の中に入ったまま安置してあるが、三月七日の夜には、難波から今到着したという形で、外陣へお迎えする。お輿をかつぐ人たちも、その時お供をした人々の子孫だそうで、このことを一名「お道中」とも呼んでいる。お堂の中には、楽の音がひびきわたり、天平勝宝四年の春の月と同じ月が中天高く登って、二月堂の甍《いらか》を照している。私たちが歴史の姿にふれるのはそうした時で、天平時代からつづいた信仰の強さを想ってみずにはいられない。観光客は一人もいず、参列しているのは土地の人々だけで、みな一心に「お道中」を拝んでおり、常に民衆と共にあった実忠和尚の精神が、今も健在であることを知るのである。

修二会はそのようにして、毎日少しずつ違った形でつづいて行き、「走りの行法」や「だったん」が入る時もある。前者は、練行衆が、本尊のまわりをおそろしい勢いで走り廻るが、それは極楽の一日は下界の四百年に当るので、少しでも早く仏のもとへ近づかんがために、急いで走るのだといわれている。その間に「五体投地《ごたいとうち》」といって、烈しく身体を地に叩きつけることを何度もする。いうまでもなく、それは懺悔のために仏の前に身を投ずるので、自分一人のためではなく、一般大衆の罪もあがなう意味を持っている。「だったん」の語源はよくわからないが、タタラを踏む言葉から出たようで、燃えさかる松明を持った火天と、灑水器《れいすいき》をささげた水天が、これまたおそろしい勢いで堂内を駆けめぐる。伴奏には、法螺貝と鈴と錫杖《しゃくじょう》でさわがしい音を立て、静かな修二会の道場は、一瞬華やかな祭りの場に変る。節分の時に行なう追儺《ついな》とか、鬼やらいの儀式を思わせるが、観菩提寺の修正会で、酔っぱらった人たちが騒ぐ場面とも似なくはない。「走りの行法」も「だったん」も、仏教の行法としてみごとに演出されているが、元を正せば地下に眠っている魂を呼びさますための、春の祭典であることは一目瞭然で、原始的な神事が、仏教の中に生かされていることがよくわかる。

三月五日の実忠忌と、十二日のお水取りの夜に、『過去帳』を読むことも忘れてはなるまい。聖武天皇・光明皇后から現代に至るまで、東大寺と関係のあった人々の名前を、歌うように流暢に読みあげる。これは中々音楽的で、聞いていても面白いが、鎌倉時代の中程で、「青衣《しょうえ》の女人《にょにん》」と、陰にこもった節をつけて読む。承元の頃（一二〇七～一二一一）、東大寺に集慶《しゅうけい》という僧がいた。この人が『過去帳』を読んでいた時、夢とも現《うつつ》ともなく、青い衣を着た女人が現われて、「何故妾《わらわ》の名前を読んで下さらぬか」と、恨めしそうに呟いたので、驚いた集慶は、思わず「青衣の女人」と叫んでしまった。以後、名も知れぬ女の幽霊が、『過去帳』に加えられるようになったというわけで、度々述べたように、お水取りの中には、そういう不思議な伝説や物語がたくさん交っている。

初夜（七時～八時）から晨朝《じんじょう》（二時～三時）の間に、五分ほど休憩があって、練行衆は手水《ちょうず》（手洗い）に行くが、明け方に行法が終って、宿坊へ帰る時も、「手水、手水」と叫びながら、石段を下って行く。これは二月堂の周辺に集まった天狗や魑魅魍魎《ちみもうりよう》が、空になったお堂の中でいたずらをするといけないからで、そういうユーモラスな面もお水取りの中にはある。三月（旧暦の二月）は気候が不順な時だから、修二会の間には、「春一番」が吹き荒れる日もあって、それを東大寺では「天狗風」と呼んでいる。天地に蠢いているさまざまの悪霊を鎮めるためにも、早春の頃は祭りをする必要があったので、天狗や鬼が跳梁していた時代が、むしろ私にはなつかしい。

今年は仕事の都合で、お水取りには参列できなかった。が、試別火に入る二、三日前に、用事があって東大寺を訪れた。用事というのは、お水取りに使う椿の造花の紙を、知人が染めているので、それを届けるために同道したのである。その紙は、丹波の黒谷で特別に漉《す》いており、植物染料の紅花《べにばな》とくちなしで染めている。練行衆が別火坊で、それを造花に作るのだが、これを「花ごしらえ」といい、タラの木を芯に、紅白の花びらと、黄の雄しべをあしらった造型は、手馴れているだけあって見事なものである。

修二会がはじまる前に、この造花を生木の椿の枝につけて供えるが、ちょうどその頃、二月堂の前の良弁堂にも、これと同じ椿の花が咲く。一般には「東大寺椿」とか、「良弁椿」とか呼ばれているが、品種は「のりこぼし」で、ちょうど糊をおいたように、紅の花片に真白い斑点が現われるのが美しい。天平時代にそんな椿があったかどうか、またいつ頃から造花を飾るようになったか、知るすべもないが、造花一つにも多くの人々の手間と、優しい心遣いが行き渡っているのは驚くべきことである。

もっと驚いたのは、蕾の形に作ってある造花が、修二会の終る頃には、全部開くということである。練行衆が皆そういわれるのだから、嘘ではあるまい。その秘密はたぶんタラの木片と、生木の椿にさすところにあるので、水を吸収した紙が自然に開くのであろう。修二会が済んだ後で、土地の人々はこの造花を頂いて、苗代の四隅にさしておくという。むろん豊作のお呪《まじな》いに用いるので、お水取りは今でも農民の暮しと密接に結びついている。

観光客には珍しい見ものにすぎないお水取りも、彼らにとっては、まったく別の意味をもっているように思われる。それを信仰と呼べるかどうか一概にはいえないが、一年の生活のけじめとして、欠くことのできぬ規準となっていることは疑えない。その日、私が東大寺を訪れた時も、大和や伊賀の山奥から、松明に使う竹の束が大量に届いていたし、椿や南天の枝も牛車に積んで運ばれていた。それらの束には、「東大寺　二月堂」と記した札がついており、村から村へリレー式に送られて来るという。彼らにしてみれば、天平時代以来の古い付合いで、表には現れない行為によって、修二会に参加しているという誇りを持っているに違いない。「お水取りが終らないと、春が来ない」という言葉も、そこでほんとうに生きて来る。生活を離れたところに、そういう喜びはない。紙すきから、椿や竹を集める仕事に至るまで、お水取りのいわば裏方ともいうべき人々に接して、私はあらためて千年以上もつづいたお水取りの不思議さを感じた。

葛城山をめぐって

奈良から大和平野を南下すると、右手の方に、葛城《かつらぎ》・金剛《こんごう》の連山が、ゆったりとした山容を現す。国道二四号線を境にして、東側と西側では、印象がちがうと思うのは私だけではないだろう。三輪山の背後にうねうねとつらなる東山が、「たたなわる青垣」という感じを与えるに反して、西の葛城連峯は、陰鬱な緑をたたえて、のしかかるように大きく強く迫って来る。

有史以前に、ここには土蜘蛛《つちぐも》という原住民族が住んでいて、神武天皇に退治されたと、『日本書紀』は伝えている。その時、葛の木で作った網でおおって殺したので、かつらぎ、と名づけたとあるが、その戦いに功績のあった剣根《つるぎね》という人物を、後に葛城の国造《くにのみやつこ》に任じたという。そのことから推しても、古えの葛城地方が、一つの国を形づくっていたことがわかるとともに、弥生時代に既に開拓されていた事実も、銅鐸その他の出土品によって知ることができる。この地方はまた「高尾張《たかおわり》」とも称されたが、高尾張とは、高いところまで耕された農地の意味で、今も残る段々畑に、彼岸花が咲いている風景は、遠い昔の繁栄を彷彿とさせている。

諸国を平定した神武天皇が、はじめて国見《くにみ》をされたのも、葛城の山麓であった。「腋上《わきかみ》の嗛間《ほほま》の丘」に登って、山野を見渡した後、「まことに美しい国を獲たものである。蜻蛉《あきつ》の臀呫《となめ》（とんぼが交尾している形）のように見える」といわれた所から「秋津洲《あきつしま》」の名が起った。後に日本《やまと》の別名となり、枕言葉にもなった「秋津」の地名は、現在も御所《ごせ》市の南に見出され、腋上は掖上《わきがみ》に、ほほまの丘はほんま山に転訛して現存している。その他、記紀に現れる地名は無数にあり、神武から八代の間の宮跡と天皇陵は、みな畝傍《うねび》から御所の付近に集中しているために、「葛城王朝」と呼んでいる学者もある程だ。実際に「王朝」と呼ばれる程の確固たる勢力が存在したか否かは別として、少くともはじめの数百年間は、この山の麓の区域が「秋津洲　日本の国」であったことは確かである。してみると、日本の故里は、葛城にあるといっても過言ではないと思う。ただ、あまりに時代が古いのと、交通に不便なため、飛鳥古京や山辺《やまのべ》の道ほど一般に知られてはいず、昔のままの面影を止めているのは幸いである。玉手の丘やほほまの山に、かつての宮跡や御陵を訪れる時、私は懐旧の想いに堪えられない。そのあたりには見事な埴輪が発掘された武内宿禰《たけのうちのすくね》の「宮山古墳」や、日本武尊《やまとたけるのみこと》の「白鳥陵」も点在しており、古代の歴史を思い出すのに事を欠かない。

最初の国造であった剣根という人物が、どういう種族に属していたか私は知らないが、葛城山の周辺には、「鴨」と名のつく神社が多く、京都の「賀茂」と関係が深かったことは想像がつく。カモはカミに通ずる古語で、出雲族が祀っていた神であるから、三輪山と同じように、西の葛城にも彼らの勢力が及んでいたのであろう。或いは神武天皇も、日本全国に散在した出雲族の援助のもとに、国を立てることに成功したとも考えられる。唯一の確かなことは、武内宿禰の息、襲津彦《そつひこ》が、四世紀ごろにこの地方の中心人物となり、その女《むすめ》が仁徳天皇の皇后に立ったことである。

記紀万葉に情熱的な歌を遺した磐之媛《いわのひめ》がその人で、当時の葛城氏は、天皇と匹敵する程の力を蓄えていたらしい。天皇と仲違いして、難波の京から大和へ帰った皇后は、「……わが見が欲《ほ》し国は、葛城高宮、吾家《わぎへ》のあたり」と、堂々と望郷の歌を謳《うた》っている。その高宮の跡も、「園池」、「宮戸」などの地名に遺されていて、私たちを遠い物語の世界へいざなって行く。

葛城にまつわる伝説や歌謡は枚挙にいとまもないが、忘れることができないのは、役《えんの》行者《ぎょうじゃ》の存在である。彼は修験道の創始者で、いわば後世の山伏の草分けであった。生年はさだかではないが、八世紀の頃活躍した人物で、幼名を小角《おづぬ》といい、賀茂の役公《えのきみ》の流れと伝えている。父を間賀介麿《まかげまろ》、母は白専女《しらとうめ》といったが、白専女は老狐のことであるから、狐を使った呪術師か、巫女のような女性であったかも知れない。古い賀茂氏の一族に生れ、不思議な霊力をそなえた母を持った小角は、幼時から天才的な資質に恵まれていた。十三歳の頃には、葛城の山中にこもって修行をし、呪術をよくするようになったと聞く。叔父の願行に仏教も学んだが、外来の宗教にあきたらなくなったのか、故郷の山岳で長い間放浪をつづけていた。道教の影響をうけたともいわれるが、それよりむしろ自分の神、日本人に適した信仰を見出すべく、探求を重ねたというべきだろう。

『斉明天皇紀』に、次のような記述がある。

——空中を龍に乗って飛んだものがいる。唐人に似た姿をしており、青い油笠を着て、葛城の峯から、生駒《いこま》山へ飛び去った……云々と、それは小角が風のように走る姿だったのかも知れないし、そうでなくても葛城の山中には、さまざまの不思議を行う山人《やまびと》の群がいたのであろう。ずっと後の平安末期のことであるが、『夫木集』にこんな歌がのっている。

かつらぎや木陰にひかるいなづまは
山伏のうつ火かとこそ見れ　　　源兼昌

周知のとおり、修験道は、大自然の中に没入することにより、常人には及ばぬ能力を身につける修行をいう。それには滝に打たれたり、不眠不休で歩きつづけたり、言語に絶する苦行をともなうが、肉体を酷使することによって、生死の世界を超越する、もしくは悟りを開くといったような意味を持っている。当時はまだ修験道という言葉はなく、したがって形式もなく、小角は得体の知れぬ力にひかれて、盲目滅法さまよったに違いない。それは他ならぬ彼自身の精神の迷いを示していた。そうしたある日のこと、吉野の大峯山で、一心不乱に祈っていると、忽然と釈迦如来が出現した。だが、円満な相好のお釈迦さまは、山岳修行にはふさわしくない。更に声を荒らげて祈りつづけると、今度は美しい観音さまが現れたが、慈悲にあふれるお姿も、彼の欲するところではなかった。すると、にわかに天地が鳴動して、恐しい荒神《あらがみ》が、一陣の嵐とともに地底から湧出した。これこそ彼が求めていた蔵王権現で、大自然の猛威を象徴する山岳の神であった。

そういう見神の体験を、一概に伝説とはいえないと思うが、役行者ほど多くの逸話で彩られている人物はいない。その一つに、葛城山から吉野山へ、岩橋をかけたという逸話がある。その時、山の神々を動員して使役したが、葛城の神は、顔がみにくいのを羞じて、昼は働かず、夜だけ現れたので、行者は怒って谷底に呪縛してしまったという。神々さえ自由に扱った行者の偉力を示す伝説であるが、吉野山へ岩橋をかけたというのは、山岳の信仰が次第に葛城から吉野の大峯へ発展したことを物語っており、賀茂氏に祀られた葛城の神が、かつての勢力を失った事実を暗示していると思う。

蔵王権現は、いってみれば日本の山の神と、外来の仏教が合体して生れた信仰の対象である。この時から「神仏混淆」（または習合）と呼ばれる特種な思想が形成されて行くが、役行者一人の功績ではなかったにしても、そのもっとも素朴な姿が、彼の発見によることは疑えない。別の言葉でいえば、それまでは宮廷貴族に独占されていた仏教が、民間信仰と結びついたのが修験道で、大衆のためには大きな救いとなった。が、どんな場合にも、天才的な創始者というものには敵が多い。役行者も、妖術を用いて民を惑すものと、弟子の一人に讒言《ざんげん》され、文武天皇の三年（六九九）五月、伊豆の国へ流された。数年の後、許されて帰国したが、それから間もなく亡くなったらしい。配流の先でも、毎日富士山へ飛んで登ったとか、死んだ後も唐へ渡ったなどという伝説が生れたが、それ程大衆の間に人気があったことを語っている。一介の山岳修行者にすぎなかった役小角も、死後は人々に惜しまれ、修験道が盛んになるにつれ、次第に大きな存在と化して行った。役行者を育てたのは、後世の山伏たちかも知れないが、その種子ともいうべきものは、彼の体内に既に充分熟していた。彼は単に修験道の発見者であるのみか、日本の文化に大きな影響を与えた人物であったといえる。

役行者が生れた年には、葛城の山野に吉祥草《きっしょうそう》が咲き乱れていたという。これはユリ科の植物で、花は蘭に似ており、めでたい時にしか咲かないといわれている。その名に因んで、役行者が生れた茅原《ちはら》には、吉祥草寺が建立された。今はささやかな寺院にすぎないが、修験道では一方の本山で、葛城から大峯へかけての山伏修行が盛んに行われている。中でも正月十四日の夜に行う「茅原のトンド」は有名で、大松明を二ヵ所に立て、山のように藁《わら》をつみあげて火をつける。正しくは「左義長《さぎちょう》」といい、燃えさかる火によって、悪魔を払うと同時に、新春を迎える農耕の祭である。大松明を焚くこと、法螺貝を合図に村の衆がダダフミといって、大地をはげしく踏みつける動作など、東大寺二月堂の修二会（お水取り）に似なくもない。二月堂だけではなく、方々のお寺で行われる修二会や修正会は、このような民間信仰を、仏教の儀式の中にたくみに取り入れてある。堂内を走って廻る練行衆《れんぎょうしゅう》や、ダッタンの行法には、たしかにダダフミの面影があり、ダッタンの名称も、そこから起ったのではないかと私は思っている。

七月六日には、「滝祭」が行われるというので、先日私は、朝早く吉祥草寺をおとずれた。葛城山中には、役行者が修行したと伝える「櫛羅《くじら》の滝」があり、そこで八時半に集合するため、住職とごいっしょに車でケーブルの登山口まで行く。やがて、山伏姿の一行が集ったので、そこから滝まで一キロ余りの急坂を登る。その日はお天気がよくて暑かったが、木立にかこまれた滝のまわりは涼しく、鶯がしきりにさえずっているのも、爽やかに聞えた。

山伏たちは三十人ぐらいいられたであろうか。いずれも近在の村から集った講中の人々で、馴れた仕草で滝の前に祭壇をしつらえる。四方に竹の柱を立てて、縄をまわし、さまざまの色紙がかけられ、その真中に護摩を焚く壇をつくるのは、大日如来《だいにちにょらい》を象徴すると教えて下さった。木材を組合せた上に、松の木を山型に積みあげたもので、これを一名、柴《さい》灯《とう》護摩ともいうが、お能の作り物の「山」によく似ているのは興味がある。

「滝祭」は、葛城の「山開き」を兼ねているので、御所の町の人が参列していたが、観光客は一人もいず、純粋な山の行事であるのが気持よい。ややあって、お祭がはじまった。山伏の中の二人が白装束に身をかため、滝に打たれている前で、お経や陀羅尼《だらに》（密教の真言）が唱えられる。儀式はすべて法螺貝の合図で進行するのであった。その中で一番私の目をひいたのは、二人の山伏のやりとりで、祭祀場の片隅に、結界《けっかい》（他者の出入りを禁ずる境界）の縄がはってある。中にいる山伏と、外から来た山伏は、そこで互いに問答を交す。「修験道の開祖は誰であるか」とか、「役行者の由来」など、しまいには身につけた装束から、持ち物の末に至るまで、こまかく質問し、相手は一々それに答える。そこでようやく結界の門は開かれるのであった。

山伏たちは熟練していて、少しのよどみもなくやってのけたが、どちらかといえば、それは儀式というより、芸能に近い感じがした。私はそれを見ていてお能の「安宅《あたか》」（歌舞伎では「勧進帳」）は、こういう所から出ていることをはじめて知った。改めて説明するまでもなく、「安宅」の能は、義経の一行が山伏に擬装して、奥州へ落ちて行く途中、加賀の国の安宅の関でとがめられる。弁慶の機転で、危うく難を逃れるが、関守の富樫《とがし》と、弁慶の間で交される問答が、まったくこれと同じなのである。ただ修験道の方が丁寧で、お能は少し省略されているだけの違いしかなく、結界が関所と同じ意味を持つことはいうまでもない。そう云えば、四隅に竹の柱を立てる祭祀場の造りも、能の舞台を思わせるし、柴灯護摩の形が、作り物の「山」に似ていることは既に述べた。ここでお能の解説をするつもりはないが、思い当る節はほかにもあり、修験道の行事が、古典芸能の世界に、深く浸透していることを知って、私は驚いたのである。

帰りは茅原から、古墳の間を縫って、楢原《ならはら》の九品寺《くほんじ》へ向った。九品寺も、吉祥草寺も、今から十年ほど前、『かくれ里』という本を書いた時たずねた寺で、私にとってはなつかしい思い出がある。その頃の私は、葛城山に興味は持っていたものの、何の知識もなく、考古学の末永雅雄先生にうかがうと、「葛城が知りたければ、九品寺へ泊りなさい」といわれ、お寺へ御迷惑を願ったのであった。

その夜のことは今でも忘れない。

「荷物をおきにお座敷へ通ると、目の前に思いもかけぬ絶景が現れた。左（東）の方には、大和三山が手にとるように見渡され、その向うに、三輪山が秀麗な姿を見せている。足元のところは、今すぎて来た御所の町で、田圃をへだてて緑の岡が望めるのは、記紀が伝える玉手の丘、ほほまの丘などの旧跡であろう。その背後には、国見山、高取、多武峯《とうのみね》がつづき、霞の奥に吉野連山も望める、といった工合で、居ながらにして大和平野の大部分が、視界におさまる大パノラマだ」

と、感動をもって記している。住職夫妻も親切な方たちで、その後も文通がつづいているが、お訪ねする機会がなくて今日に至った。近頃は新しい街道などもできて、景色が変ったろうと心配していたが、九品寺は山の中腹にあるためか、相変らずの静けさで、眺望もぜんぜん損われてはいない。十年一日の如くとは、正にこのことであろう。私は昔の気分に返って、昨日中国から帰国されたばかりという住職と、よもやまの歓談に時を忘れた。

役行者が亡くなった後、大和にはその遺志を継ぐ人々が何人も現れた。天平時代の行基もその一人で、純粋な行者とはいえないが、やはり山岳において修行をした人物である。東大寺を建立した良弁《ろうべん》も、お水取りをはじめた実忠《じっちゅう》も、弘法大師空海も、伝教大師最澄も、みな山へ籠って心身を鍛練した。彼らは一流の医師であるとともに、科学者であり、土木の技術者でもあった。役行者が妖術を使ったといわれたのも、病人や怪我人を治療したからで、山を歩いている間に、薬草のことを知りつくしていたに違いない。岩橋をかけたという伝説にしても、民衆の便宜をはかって、谷に橋を造るくらいのことはしただろう。彼らは座して仏の教えを説くのではなく、実践することによって、衆生の救済につくしたのである。

その頃は「風葬」といって、墓場に死骸を放置しておく習慣があった。必ずしも野蕃な習俗ではなく、鳥に食べて貰うことによって、天へ登るという考え方に出ている。ために「鳥葬」とも呼ばれたが、その中には行き倒れて死んだものも交っていた。そういう風に放置されている死体を「三昧《さんまい》」といい、それを哀んで供養する僧を「三昧聖《ひじり》」と称した。

僧侶としては、一番下積みの仕事であったが、不幸な魂を救うことこそ「菩薩行」の理想とするところであろう。住職のお話によると、行基も「三昧聖」の一人で、九品寺もかつては「三昧」を収容し、供養する寺であったという。天平時代には、寺と名のつく程のものではなく、形ばかりの草庵を建てて死者の供養に専心したのであろう。行基菩薩と呼ばれたのは、その功徳のためではないかと思われる。

後に弘法大師は行基の旧跡をたずね、「戒那《かいな》千坊《せんぼう》」と名づける寺院を建立した。葛城山の一峯、戒那山の中腹にあるからで、お寺の前を古えの高野街道が通っている。弘法大師は、高野山への往復に、行基の庵室の前を通り、その徳を記念すべく寺を建立したに違いない。真言宗が浄土宗に変ったのは、室町時代の永禄年間（十六世紀半）で、まこと極楽浄土の名にふさわしい地形である。ここに捨ておかれた無数の死体は、行基や空海などの祈りによって清らかな魂を得、永遠の眠りに安住していることだろう。

なお、九品寺の裏山には、みごとな「千体地蔵」が林立している。百年ほど前、境内の竹藪を開墾した時、土中から発見されたものとかで、いずれも南北朝ごろのしっかりした石仏である。地中にはまだいくらでも埋蔵されている由で、「千体」といっても、実際にはその二、三倍はあるとうかがった。南北朝時代に、ここには楢原氏の城が建っており、寺の文書に、「城兵の身代りに奉納された」と記してあるところから、「身代り地蔵」とも呼ばれているが、よほどの理由がないかぎり、これ程多くの石仏が一時に造られた筈はない。楢原から金剛山を越えれば、向う側は千早城で、住職のお話によると、南北朝の合戦に敗れた楠木一族の供養のために造ったのではないかといわれている。たとえ理由などわからなくても、九品寺が経て来た歴史を思う時、ここに千体地蔵が建っているのは、まことに意義のあることだ。当麻寺《たいまでら》にまつわる中将姫の伝説をみても、大和の西にそびえる葛城山系は、古代の人々に浄土のイメージを与えていたに違いない。九品寺を辞して帰る道々、二上山に落ちる夕日を眺めながら、私はしきりにそんなことを思っていた。そして、神武天皇以来、神秘のヴェールに包まれた葛城山の奥深さに、我にもあらずおののくのであった。

葛川　明王院

去年の夏、花背《はなせ》の火祭を見に行った帰りに、私たちは近江の久多という所へ立ちよった。そこで「花笠踊」が行われると聞いたからである。火祭が終ったのが十二時すぎだから、一時か二時にはなっていただろう。真暗闇の中をどこへ連れて行かれるのか、見当もつかなかったが、ひどくせまくて悪い道を登って行くと、三、四十分で峠の上についた。丹波高原と近江の境の峠で、昼間なら琵琶湖も望めたと思うが、いくえにも重なる山のひだが見渡され、その谷間の中にぽつんと一つ、あかあかと火がもえている部落があった。

聞くまでもなく、そこが久多の村で、文字どおり「暗夜に灯」の光景は、強く心を打つものがあった。峠からは一気に村へ向けて下り坂となり、間もなく私たちは祭りの喧噪の中にとけこんでいた。だが、喧噪という言葉はこの場合ふさわしくない。ゆるやかな渦の流れ、というべきであろう。思古淵《しこぶち》明神と呼ばれる奇妙な神社の境内は、色とりどりの花笠で埋められ、どれが見物人で、どれが舞人か区別がつかぬ。明るい灯のもとに、それらのものが一つのかたまりとなって、静かに動いているのだった。

神主さんは、舞台の上に端坐し、踊りの渦巻きを見おろしている。色の黒い三番叟《さんばそう》みたいな老人で、粛然とした表情は、たしかに神様が降臨したことを示していた。花笠は、さくら、菊、あやめ、ぼたんなど、四季折々の花で飾られ、その下が燈籠になって火が入っているのだが、かなり大きなものなので、手に持った花笠だけがゆらゆらと動いて行く。踊りはテンポのゆっくりした歌に合わせ、五歩行っては三歩戻るといった単調なもので、「反閇《へんばい》」というのはこういう足どりをいうのではないかと思った。

私にはその方面の知識がないため、詳しいことはいえないが、歌も踊りも非常に古風なもので、その悠長な円舞には、平安朝の面影を見る思いがした。盆踊はもちろんのこと、念仏踊や能楽も、このような祭りに出たのであろう。そこには悠久の時間だけがあり、見物人も神主も、私自身さえ消え失せ、遠い過去から照らす光の中に、身をゆだねているような心地であった。

いつ果てるともない祭りをあとに、私は連れの一行と別れ、梅の木という部落を経て、京都へ帰った。宿に辿りついたのは、夜も明けそめる頃で、火祭につづく花笠踊の異常な雰囲気は、私をなかなか寝つかせてはくれなかった。

早いもので、それから一年たった。が、狐につままれたような気分は今なお失せずにいる。その間に私は、ときどき地図を取出して、しらべて見ることがあった。が、私の持っている地図には、峠の道などのってはいず、車も通らぬ所を、強引につっ走ったことがわかった。

もう少し詳しくいうと、京都から八瀬・大原をすぎて行くと、途中越《とちゆうごえ》といって、若狭へぬける街道がある。急坂を登った所を「花折峠」というが、分水嶺になっており、高野川《たかの》は南へ、安曇川《あど》は北へ流れる。安曇川は、そこから多くの支流を集め、比良山《ひらさん》の裏側を北上し、朽木谷《くつきだに》のあたりで大きく迂回して、末は琵琶湖に入る。両岸は切立った断層で、昔から水害に侵されるので有名なところである。

そういう土地だから、京都からはつい最近まで隔絶した秘境とみなされ、住んでいるのは山人か、筏師だけであった。古くは雄略天皇に殺された市辺押磐《いちのべのおしわ》皇子の御子たち（後の顕宗・仁賢天皇）が、播磨へ逃げた時、この街道を通ったというし、義経が北陸へ落ちたのも、足利義晴が三好の乱をさけたのも、この川筋を行ったと伝えられている。

中でも有名なのは、朽木の木地師が奉じた惟喬《これたか》親王の伝説で、皇子の邸跡は大原にあるから、ここへも忍んで来られなかったはずはない。花折峠を越えたところには、葛川《かつらがわ》明王院と称する古刹があり、その寺の前を下って行くと、今いった梅の木の集落へ出、支流の久多川にそって、西の谷へ入った所に、花笠踊の村はある。上流には、上、中、と称する地名があり、村人たちは上の神社から、中を経て、下の思古淵へ、踊りながら川を下って来るのである。

こう書いても、はじめての読者には、なかなか見当がつきかねるであろう。それほど深い渓谷と思って下さればよい。安曇川には支流がたくさんあって、その一つ一つの谷に村があるのだから、何度も行った私にもよく呑みこめてはいない。が、何度か往復するうちに、私は、この川筋一帯に、シコブチと称する不思議な名前の神が祀られていることを知った。志古夫智、醜淵とも書く。八瀬のあたりでは御子淵と変り、そんな風に当字が多いのをみると、まだ文字がなかった頃からの古い地主神であったらしい。シコブチの意はよくわかっていないというが、素人考えでは、醜の御楯とか、葦原醜男のシコで、みにくいというより、荒い、強い、という意味があるのだろう。安曇川は、その当時からよく荒れる恐ろしい川であったのだ。

ある時、シコブチさんが、息子と一しょに筏を流していると、急に筏が動かなくなった。気がついてみると、息子の姿がない。棹で淵の中を探ると、底の方に河太郎というものが、息子を抱いてひそんでいた。そこでシコブチさんは、河太郎を戒めて、息子を取返し、今後はいかなることがあっても「菅の簑笠をつけ、香蒲のはばきをはき、辛夷《こぶし》の竿を持った者」には、害を加えてはいけないと誓わせた。

そういう民話が伝わっているが、菅の簑笠云々は、筏師たちの通常の服装で、シコブチさんは彼らの守護神であったことがわかる。それ以外の人々には、河童が害を加えても構わないように聞えるのは、同業者の結束と、古代信仰のあり方を示していておもしろい。さしずめよそ者の木地師などは、仲間に入れて貰えなかったのであろう。だから、惟喬親王という新しい神を奉じたので、私が耳にした所では、今でも彼らはいく分蔑視されているようだ。木地師が故郷の君ケ畑から移って来たのは、おそらく平安朝のはじめ頃で、谷が深いように、谷をめぐる信仰にも、まことに根深いものが見られるのである。

そのシコブチの本社が、葛川明王院にあると知ったのは、つい最近のことで、京都博物館の景山先生が教えて下さった。『葛川明王院』という本も頂いた。

明王院といえば、先年京都の博物館で、鎌倉時代の絵図を見たことがあり、美しいので記憶に残っている。その後、坂本のあたりで、「回峰行者」と呼ばれる異様な姿の一団に出会い、彼らの本拠が明王院にあることも知った。京の町では「阿闍梨《あじゃり》さん」と呼んで親しまれており、お数珠で頭を撫ぜて貰うと、息災に暮せると信じられている。そんな話も、宿のおかみさんから聞いた。

織物でも織るように、そうしたさまざまの糸が四方からより集まり、次第に私の興味をかき立てて行った。明王院の前は何度も通っているのに、ついぞよったためしはない。葛川へ行こう。そう思い立ったのは、今年の春先だが、雪が深くてのびのびになり、なかなか訪ねる機会は来なかった。

七月に入ると、「太鼓乗」という行事がある。

それを待つ間に、急ごしらえではあるけれど、私の知識はふえて行った。寺伝によると、この寺は、貞観《じょうがん》元年（八五九）、比叡山無動寺の相応和尚《そうおうかしょう》によって創立された。創立されたといっても、寺が建ったのは後のことで、はじめは修験の行場だったという。

相応は、近江浅井郡の出身で、櫟井《いちい》氏といい、孝徳天皇の遠孫と伝えられる。十五歳の時叡山に上り、十七歳で剃髪した。生れつき信仰心の厚い少年で、修行の合間に花を摘み、毎日かかさず根本中堂へ供えていた。それを見ていたのが慈覚大師円仁で、三条良相から、自分の供養のために、若い僧を一人斡旋してくれと頼まれた時、彼はすすんで相応を推薦し、「汝良縁の相応するところなり」といったことから、「相応」の名で呼ばれるようになった。

これを機に、「籠山十二年」の修行に入ったが、彼の念願は、生身《しょうじん》の不動明王を拝むことで、その影像を永く比叡山にとどめたいと思っていた。ある夜、薬師如来から霊夢を受け、山の南岳にささやかな庵を結んだ。これが今に残る東塔の無動寺で、相応の別名を、「建立大師」、また「無動大師」とも称するのはそのためである。

ここに改めて、「鎮護国家」のためのきびしい修行がはじまったが、三井寺の智証大師について、三塔を回ったり、大峰山へ入るなどして、山岳信仰にかたむいて行った。山岳信仰は、すでに奈良朝にも見られたが、日本の仏教がはじめて骨肉化されたのはこの時期で、相応もまた神仏混淆の一端を担ったのである。そこに比叡山の一派ではあるが、少し毛色の変った信仰が成立した。先にいった回峰行者は、その足跡を辿る人々で、肉体を酷使することにより、精神統一をはかるという、極めてストイックな苦行者の一団である。

天安二年（八五八）、文徳天皇の女御多賀幾子が病にかかった時、相応の所へ使いが来た。山を降りるのは不本意であったが、円仁座主の要請もだしがたく、和尚は弊衣をつけたまま、土足で参内し、さげすむ人々を尻目にかけ、修験の呪法を行なった。すると、几帳の陰から一人の上臈がまろび出て、和尚の目前で何やら高声に叫んだとみるや、女御の病はたちまちに平癒した。その後もたびたび宮中へ招かれ、相応の名声は高まったが、今も「土足参内」といって、回峰行者がわらじをはいたまま御所に伺候するのは、その時はじまったといわれている。

山へ還った相応は、さらに静寂の地を求めて、比良の山中を彷徨しはじめる。貞観元年、二十九歳の頃のことで、一切の穀類を断ち、草と木の実で命をつないでいたが、ある日シコブチ明神が、老翁と化して現われ、この谷を奥深く入ったところに、前人未踏の霊地がある。その山中にある「三の滝」で、必ず不動明王にまみえることができるというお告げを受け、常鬼・常満という二人の童子に案内され、和尚は安曇川の源ふかくわけ入った。

常鬼・常満の子孫は現在も明王院のかたわらに住み、祭りその他の行事を司っているが、シコブチ明神の生えぬきの氏子だったといっていい。苗字は葛野《くずの》氏で、はじめは浄鬼・浄満と書いたが、いつしか「常」に変り、鬼の字を嫌って常喜と書くようになったと聞くが、鬼の方が山人らしくて私たちにはおもしろい。不動明王のコンガラ・セイタカに擬せられる人々で、案外二童子のモデルは、こんな所に見出せるのではないだろうか。不動尊自体が山人の姿をしており、山伏はそれを模したといわれるが、似せたのはもしかすると、仏像の方であったかもしれない。比良山の奥には十九の滝があり、相応は琵琶湖から杣道《そまみち》を伝って、葛川へ入ったのであろう。が、「三の滝」は、明王院からかぞえて三番目の滝だから、一旦途中へ出、それから花折峠を越えたと考えるのが妥当である。

その滝の前で、和尚は一七日の間断食をし、不眠不休で一心不乱に祈念した。満願の日、滝壺に目を凝らしていると、長年夢みた不動明王が、水しぶきをあびて立っているではないか。思わず彼は水中に飛びこみ、しっかと抱きついたが、気がついてみるとそれは桂の古木であった。で、今見たばかりの生々しい像を、その木の上に刻んだが、これが現在伝わる明王院の本尊で、同じ材をもって造った他の二体を、一つは比叡山へ、一つは近江の伊崎寺へおさめたという。

伝説と、人はいうかも知れないし、似たような話はどこにでもある。寺院の創立に関するパターンといっていいほどだが、たとえ作り話であろうと、私は聞く度ごとに感動する。やがて、回峰行者という特殊な集団が組織され、相応和尚の体験を克明に辿るようになった。信仰は、たとえていえば芸と同じようなもので、単に伝承するだけでなく、実行することによって伝えられ、伝えて行く間に、洗練と精緻を極める。いわば作曲家と演奏家の関係にあるといえよう。

まず彼らのいでたちだが、一番目につくのはかぶり物である。檜笠《ひのきがさ》――これは不動笠ともいって、檜の柾をうすくはいで編んだもので、今の言葉でいえばアンペラだが、拡げると畳半畳くらいの丸い敷物になる。それを両側から巻いて頭にのせるため、蓮の巻葉をかたどったともいわれるが、それは後から考えたことで、はじめは雨具と日よけを兼ねる便利な道具であったのだろう。

腰にさした法剣は、一名「花切り」ともいい、始祖相応が毎日花を切って仏に捧げたことに起因がある。時には護身用ともなり、山登りには欠くことのできぬ装備だが、その他法縄、錫杖、頭陀袋《ずだぶくろ》（お経袋）など、またその中に入れる持物にもきまりがあり、まるで茶道具のように整然として、無駄がない。それらすべての持物は、不動明王をかたどっているが、逆にいえば不動の宝剣や羂索《けんじゃく》は、みな山人の生活から出たもので、多少形は変っても、現代の登山家にも共通する。相応和尚は、そのとおりでなくても、まず大体は似たような姿で、山また山を彷徨したのであろう。求めたのは不動明王ではなく、自分自身の魂ではなかったか。不動明王に抱きついた瞬間、つかんだという古木は、そういうことを暗示していると思う。

現代人はとかく形式というものを軽蔑するが、精神は形の上にしか現われないし、私たちは何らかのものを通じてしか、自己を見出すことも、語ることもできない。そういう自明なことが忘れられたから、宗教も芸術も堕落したのである。回峰行者の持物一つにも、こまかいきまりや作法があるのは、決してつまらないことではない。それらの多くは後につけ足されたにしろ、より厳密に、克明に、始祖の姿に似せることによって、その精神をまなぼうとしたのである。

彼らはたとえ群れをなしていても、その修行はあくまでも一人のものであり、自力の行であるから、作法などは教えず、見様見真似で体得して行くところも、伝統的な芸能に似ている。ふつう百日を期限とし、毎朝午前二時から、日に三十キロ踏破するが、千日回るには十年かかり、十五回で大先達、三十回で大々先達となる。回峰とひと口にいうけれども、考えてみれば一生かかる大事業なのである。

その道順は、比叡山から坂本へ出る「七谷越」と、黒谷を経て八瀬へ降りる「走出《はせだし》」の他、葛川参籠など、いくつかの道にわかれているが、要所要所で、みそぎや祈禱を行う。

奥比叡ドライブウェイを行く人は、西塔をすぎた所に、「玉体杉」という立札があるのに気づかれるであろう。それは新道のドライブウェイと、旧道の行者道が出会う地点で、街道から少し登った高みに、大きな二股杉が立っており、ここで行者たちは、京都を見おろし、御所を拝んで、国家の安泰を祈る。長い回峰巡礼の、ほんの一例にすぎないけれども、誰も知らない所で、そのようなことが、今もひそかに行われているのは驚くべきことではないだろうか。

中でも葛川の参籠は、経験をつんだ行者にしか許されず、命がけの荒行といわれている。明王院は、いわば比叡山全体の奥の院なのだ。今その行者道は、坂本から琵琶湖の岸を堅田《かただ》へ出、そこから西へ入って、比良の山麓を、途中に出る。途中からは、花折峠の急坂を越え、安曇川ぞいに葛川へ至るので、葛川というのは支流ではなく、上流の渓谷を指すらしい。今でも桂の木が多いところで、行者道は川にそって、下の方を通っているが、所々でみそぎを行うと聞く。夏のさ中に、さぞかし気持がいいことと思うが、荒行といっても、その道中には綿密な注意と工夫がほどこされており、この頃の登山家やハイカーのような無謀さはない。どちらかと言えば、お能の「橋掛り」を思わせるほど用意周到な道中にみえる。

坂本を明方の五時に出発した彼らは、午後二時に途中へ着く。ここに勝華寺というお寺があって、おつとめをした後、しばらく休息する。その時、道で摘んだ花をさす大きな石船が、本堂の横手においてあり、花を愛でた相応の床しい心を偲ばせている。

この寺には、宮垣さんといって、相応の世話をしたという旧家があり、千百年の昔にしたとおりに、行者の面倒を見ている。いよいよ花折峠の難所にさしかかるわけだが、峠の上では樒《しきみ》をとるきまりであるそうで、「花折」の名もそこから出た。

峠の頂上からふり返る比叡山の景色は美しい。そこで行者の一行は、叡山と、下界に別れを告げる（そういうお祈りがある）。花折から先は、比良山に入って、叡山が拝めなくなるからで、勝華寺での供養は、いわば最後の食事と、末期《まつご》の水を意味するという。相応の決死の覚悟は、そういう形で伝えられているのだが、夕方の四時ごろ、明王院についた彼らは、山門の前の滝川で、水垢離《みずごり》をとり、断食と無言の行に入る。常鬼・常満の家は、寺の入口の両側に、今も明王院を守るがごとく建ち、両家の主人が一切の世話をしているが、私を案内して下さったのも、常満一族の一人であった。

境内の様子は、鎌倉時代の絵図とほぼ変りはなく、ただ地主神社が前方に遷ったただけで、かつて神社があった所は、「地主平《じぬしだいら》」と呼ばれている。絵図で見ると、そのまわりに、垣根のようなものが立っているが、これは行者たちが参籠したしるしの立札で、当時のものがたった一つ、本堂の中に残っていた。高さ四メートルに余る巨大な塔婆で、やはり桂の木で作ってあり、墨で護法童子が描いてある。本尊の不動明王と、ほとんど同じ姿のもので、これは相応が感得した影像を、桂の木に彫ったのをそのまま模したものに違いない。参籠の札も、時代が降ると小さくなり、足利義満や日野富子（義政夫人）が献納したものも残っているが、鎌倉時代の塔婆とは比べものにならない。現代のものは、いよいよ小さくなり、一片の木札となりはてたが、それでも今年は二十九人の行者が参加したというから、相応の精神は細々ながら伝えられているといっていい。このような信仰は、はやるとたちまち変なことになるので、少数の人々にきびしく守られているのは却《かえ》っていいことかも知れない。

なんといっても、回峰行のクライマックスは、七月十八日に行われる「太鼓乗」であろう。

大きな杉でかこまれた本堂のまわりは、日昏れとともに参会者で一杯になるが、十時ごろになると、常鬼・常満を先導に、村の若者たちが行者を擁して、脱兎のごとく乗りこんでくる。山にこだまする奇声と、ささらの音は、天狗の再来を目のあたり見るようだ。

それと同時に、外陣では、「太鼓回し」がはじまる。直径一メートルを越える大太鼓を、外陣一杯にころがすのだが、これも桂の木で作ってあるそうで、とうとうたる音響は、滝のひびきを現わすという。しばらく回すと、突然ぴたっと停止し、

「大聖不動明王、これにのって飛ばっしゃろう」

の叫びとともに、白装束の行者が躍り出で、太鼓に飛乗り、合掌したとみるや、掛声もろとも向う側へ飛び下りる。間髪を容れず、太鼓が再び回ると、次の行者がまた乗る、といった工合で、それは凄まじい迫力である。いうまでもなく、始祖相応が、滝壺へ飛びこんだことの再現で、新達《しんだつ》（新入りの行者）によって行われるが、これは一種のイニシエーションに相当するものであろう。新達は、ことごとにいじめられ、用事をいいつけられるので、一睡する間もないというが、そういう苦行を経て、はじめて一人前の行者として認められ、仲間の一人に加えられるのである。

行事が終了するのは、十二時を回り、村の人々は、地主神社の前で、夜を徹して盆踊をたのしむ。村と寺と、神と仏と、一体と化した風景は、なんともいえず和やかなもので、シコブチ明神が相応和尚に、不動明王を引合せた故事が思い出される。

だが、行事はそれで終ったわけではない。盆踊の喧噪をよそに、行者たちは本堂に籠り、ひそかにお経を唱える。深夜の森にしみ入るような読経の声は、遠くにひびく歓声と対照して、山岳信仰の深奥にふれる思いがする。密教とは、太古の自然と言葉を交わす秘密の真言であろうか。そこには人に語ってはならない世界があり、語ればたちまち虚妄となって、幻のごとく消え失せるであろう。お経の意味はわからなかったが、私にはそういうことをくり返し述べているように聞えた。

翌十九日、所定のつとめを終ると、行者たちは滝参籠をする。「お滝詣り」ともいう。

シコブチ明神が、相応和尚を霊瀑に導いた記念の日で、常鬼・常満の当主は、浄衣を身につけ、はだしの姿で行者たちを案内する。麻の衣をまとい、笠をかぶった異様な風体は、河童をやっつけた時のシコブチさんにそっくりなのも面白い。

かつては比良山から花折峠に至る、広大な地域を占めたシコブチ明神も、今は末社として、地主神社の横に祀られているにすぎない。が、それは日本の自然神が、当然落ちゆく運命であったろう。彼らはしばしば老翁と化して現われるが、それは年をとりすぎたことを示しており、新しい神を欲した民衆の求めに応じて、仏を紹介するのが、彼らに課せられた役目であった。つとめを終えた後は、仏の陰にかくれて、消滅したように見えるが、実は仏に変身したのであって、神道よりむしろ仏教の中に、その精神は伝えられた。相応が感得した不動明王は、まさしくシコブチの直系の子なのである。滝の中に影向《ようごう》し、桂の木に彫ったということが、すでに自然信仰の変型にすぎないことを語っているが、回峰行者に至っては、まったく自然の山水と同化している。その信仰については、あまりに深く、広すぎて、私などの手にはおえないが、その片鱗ぐらいは知って頂けたかと思う。自然が刻々破壊されて行く今日、たとえ少数でも、そういう人たちがいることは心強い。歴史は机上ではなく、彼らのような人たちの中に、常に歩みを休めず生きつづけて行くに違いない。

平等院のあけぼの

宇治の平等院は、日の出の時が一番美しい。そう聞いた瞬間、何か心に感ずるものがあった。というより、朝日にきらめく鳳凰堂の景色が、ありありと眼に見えたといった方がいい。私は直ちに京都へ飛んで行き、翌朝五時には宇治へ向っていた。さいわいお天気はよさそうで、黎明の光の中に、醍醐や三室戸の山々が、くっきりと稜線を現している。宇治橋を渡る頃には、かなり明るくなって、朝霧が山のひだを縫いつつ登って行くのが、手に取るように見える。あらかじめお願いしておいたので、平等院の門も、鳳凰堂の扉もあいており、まだ夢を見ているような池の面には、白い靄がただよっていた。

東に山があるため、日の出は六時すぎになるということで、私は鳳凰堂の石段に腰をかけて待つことにした。思えば平等院との付合いは古い。はじめて母に連れられて来たのは、小学校に入った頃で、頼政が自害したところと伝える「扇の芝」を覚えているのは、たぶん「頼政」のお能を見ていたからだろう。それからは毎年のように訪れたが、半世紀以上もたつ間に、平等院はずいぶん変った。戦争直後に来た時は、台風のさなかで、正面の扉が大きな音をたてて風に打ちつけられ、瓦が飛んで来たりして、今にも崩れ落ちそうに見えた。池には水草が生い茂り、宇治川の土手から自由に出入りができて、お堂も庭も荒れはてているのが、却《かえ》って趣きのある感じがした。が、解体修理が行われた後は、面目をあらたにし、まったく新しい寺院に生れ変った。はじめの中は、どぎつい朱の色と、硬くつめたい建築の線が気になったが、二十年もたつとほぼ元の姿に落着き、訪れる人も稀であった境内には、観光客がつめかけるようになった。そのためかここ数年、御不沙汰していたが、こうして静かに眺めていると、昔に還った心地がする。やはり名所とか旧跡には、それを眺めるに適した時間というものがあるらしい。

先程まで晴れていた空が、太陽がのぼる頃には曇って来た。朝日山が宇治川の東岸にあることは知っていたが、平等院から見て、朝日がそこから登るとは気がつかなかった。また、平等院の山号を「朝日山」と呼ぶことも、この度はじめて知ったとはうかつな話である。だが、待ちに待った太陽は、雲にかくれて、ついに姿を現さず、平等院の朝はそのまますずるずると明けて行った。大体東京から駆けつけて来て、いきなり日の出を見ようなんて心掛けが悪いのである。またの機会を待つこととして、私は宇治の周辺を歩いてみることにした。

平等院の裏側へまわると、西南の隅に「県《あがた》神社」が建っている。祭神は木花開耶《このはなさくや》比売《ひめ》で、その神の別名を「神吾田《かんあがた》津《つ》姫《ひめ》」というところからアガタと呼ばれたと聞くが、一説には、菟道稚郎子《うじのわきいらつこ》の母、宮主矢河枝《みやぬしのやかわえ》比《ひ》売《め》を祀ったともいわれる。社名をみても、非常に古い農耕神であることは確かで、椋の大木がそびえる境内には、かつての県《あがた》の杜《もり》の面影を止どめており、東の山から登る朝日を、まともに受ける位置に鎮座している。もしかすると、太陽を拝む祭祀場だったかも知れないが、田を守る神としてそれは当然のことであったろう。毎年六月五日の夜半から、六日の未明へかけて、ここでは暗闇の中で祭が行われる。それも元は日の出を迎える神事だったと思うが、夜の闇の中で、男女が交媾する「嬥歌《かがい》」の風習があったことでも知られている。

永承七年（一〇五二）藤原頼通が平等院を建立した時、この県神社を地主神に迎えた。以後、平等院に附属した形で今に至っているが、伝統の力はおそろしいもので、「御来光」を拝む習慣が、「弥陀《みだ》来迎《らいごう》」の信仰に発展したといっても過言ではないと思う。そういう意味でも、華麗な寺院の奥にひそむ地主神の存在を忘れてはなるまい。一方平等院ができ上る以前にも、既に二百年に近い歴史があった。はじめてこの地に別荘を造ったのは、源の左大臣融《とおる》で、融は河原の院や嵯峨の清涼寺を造営した作庭の名手として知られている。

その後、宇多天皇の離宮となり、「宇治院」とも称したが、平安中期には藤原道長の所領となり、長男の頼通に受けつがれて行った。庭のたたずまいはその当時と変ったに相違ないが、融の時代にも池の水は宇治川からひかれ、朝日山は借景として、欠くことの出来ぬ存在であったろう。

宇治橋を東に渡って、右へ折れると、程なくその山の麓に至る。下の方には「宇治神社」、少し登った高みには、「宇治上神社」が建っている。延喜式に「宇治神社二座」と記されている古社で、ことに上《かみ》の社は趣きが深い。本殿は日本でもっとも古いとされる平安時代の神社建築で、なだらかな屋根の線が、後の山の翠《みどり》にとけ合って、何ともいえず優雅な感じを与える。神社というより、貴族の別荘のような雰囲気があるのは、ここが菟道稚郎子の「桐原日桁宮《きりはらひげたのみや》」の趾と伝えているためかも知れない。拝殿の右手には、「桐原の水」という泉がわき出ており、その清冽な水に手をひたしていると、若い皇子の面影が彷彿とされて来る。祭神は稚郎子のほかに、応神・仁徳両天皇を祀っているが、この神社の別名を「離宮明神」または「離宮八幡」とも称するのは、かつてここには応神天皇の宮居があり、皇子の稚郎子にゆずられたのであろう。

記紀によると、応神天皇は、宇治で次のような「国見」の歌を詠んでいられる。

千葉《ちは》の　葛野《かづぬ》を見れば　百千《ももち》足《た》る

家庭《やには》も見ゆ　国の秀《ほ》も見ゆ

「宇遅野《うちぬ》の上に御立《みた》ちしたまひて」とあるのは、離宮の建っていた朝日山の山頂であったかも知れない。そこから近江の国へおもむく途中、木幡の里で美しい乙女と出会う。名をたずねると、「丸邇之比布礼能意富美《わにのひふれのおほみ》の女、名は宮主矢河枝比売」と答えた。天皇は近江からの帰途、その乙女と結ばれ、稚郎子をもうけたという。

丸邇氏は和珥、和邇とも書き、広く近江から大和へかけて分布していた豪族で、父親の意富美は大いに喜び、盛大な結婚の宴を催した。その時、矢河枝比売はお酌をし、天皇が盃を取って歌われた相聞歌は、いかにも帝王らしいおおらかな調べである。そういう風に祝福されて生れた皇子は、幼い時から聡明であったので、天皇にことの外寵愛され、ついに二人の兄、大山守皇子と大鷦鷯尊《おおさざきのみこと》（後の仁徳天皇）をぬいて皇太子《ひつぎのみこ》に立てられた。それが仇となって、悲劇的な生涯を終る。先ず、反乱を起した大山守を宇治川に討ち、難波宮の大鷦鷯と三年の間皇位を譲り合った後、人民の苦衷を思って、自ら命を断つに至った。

「我兄王の志を奪ふべからざることを知れり。豈久しく生きて、天下を煩さむや、とのたまひて、乃ち自ら死《をは》りたまひぬ」

という書紀の記述は簡単だが、簡単なだけに苦しい心の中を推察することができる。今となってはそれを知ることは不可能だが、仁徳天皇の側には、強力な武内宿禰がひかえており、稚郎子は同じく強力な丸邇氏の後援のもとにあった。若い皇子は、その二つの豪族の、勢力闘争の犠牲になったと考えても、間違ってはいないと思う。

　ともあれ、知らせを聞いた大鷦鷯尊は、驚き悲しんで、難波から菟道の宮に駆けつけた。が、もはやなすすべもなく、泣く泣く遺骸を「菟道の山の上に」葬ったと伝えている。現在、稚郎子の御陵は、宇治川の下流の低地にあって、「山の上」とはいいがたい。宇治には古墳が沢山あるから、明治時代に陵墓をさだめた時、早急のうちに取違えたというのが定説になっている。宇治上神社の本殿の土台は、漆喰で高く築いてあるので、そこに葬ったのではないかという人もおり、また朝日山の頂上に、稚郎子の供養塔が建っているところから、「山の上」の御陵はそこだという説もある。が、勿論どちらとも定めにくい。それより土地の人々が、悲劇の皇子に親しみを感じていることの方が、私にとっては大切に思われる。たとえば徳川時代に、朝日山の麓に興聖寺という禅寺が建った時、しばしば怪火に見舞われたのは、御陵の聖域を汚したからだともいわれている。延喜式には、御陵の兆域を「東西十二町、南北十二町」としてあり、宇治川の東岸一帯を占めていた。ということは、朝日山全体を山陵と見なしていたのではなかろうか。

　宇治若郎子の宮所の歌一首

　　妹らがり今木の峯に茂り立つ
　　　妻松の木は古人《ふるひと》見けむ　（万葉集巻九）

の歌は、朝日山の支峯の一つ、今木の嶺を詠んだもので、現在は「仏隆山」と呼ばれている。

矢河枝比売は、県神社の祭神の一人に擬せられているが、「宮主」という名前は注目に価いする。おそらく彼女は丸邇一族の最高の巫女で、応神天皇の妃になる前は、宇治の神に奉仕していたのではないか。上下二つの社があるのは、ここに限ったわけではなく、京都の賀茂神社と同じように、御祖《みおや》の神と、御子神を祀ったものに相違ない。御祖はいうまでもなく矢河枝比売で、御子神は稚郎子である。この二座は、県神社と同様、平等院の地主神になっているが、一つの寺に三つも鎮守があるのは不思議なことで、元は同じ神社ではなかったかと私は思う。古い神社では、山上の奥宮と、麓の里宮と、田圃の近くに田宮を造るのがふつうの形式で、県神社はその場合田宮に相当する。私が子供の頃の記憶でも、平等院の裏側には田圃が残っていたが、地図をみても東岸の二つの社と、県神社とは、絵に描いたように直線でつながっている。アガタをなまって、土地では「アナタの宮」ともいうが、別になまったわけではなく、向う岸から見てあなたの方角に当っているからだろう。そういうことに関して、古代の人々は極めて正確で、周囲の風景と、神社の位置によって、人間の生活が律せられていた。

永承七年三月二十九日、平等院が落成した時、頼通は朝日山の麓から船に乗り、管絃が奏される中を向う岸へ渡った。それは正しく此岸《しがん》から彼岸へ渡る心地がしたに違いない。

つい最近まで平等院に詣でる人々は、そこから船出するならわしであったが、その場合、宇治川はいわば参道に見立てられていたことがわかる。順序としては、宇治神社に詣でた後、川を渡るのが正式な作法であり、そうすることによって気分も改まったであろう。平等院の構想は、ふつう考えられているよりはるかに大きいのだ。鳳凰堂の阿弥陀如来や飛天を見たからといって、平等院を知ったことにはならない。そこには古代の自然信仰から、仏教へ移って行き、再び自然の美しさに開眼した人間の、まったく新しい思想がある。その時外来の仏教は、はじめて自分のものになり、浄土は現実の目に見えるかたちとなった。だが、私はあまり先を急いではなるまい。平等院の周囲をほんのちょっと垣間見たにすぎないのだから。

宇治神社から少し川をさかのぼって行くと、ひっそりした岡の上に、「恵心院《えしんいん》」が見出される。弘法大師の創建と伝えるが、寛弘二年（一〇〇五）恵心僧都《そうず》によって再興され、平等院と同じく「朝日山」と号する。その後中世の兵火によってさびれはて、昔来た時は見る影もなかった。近頃は参拝客もふえたのか、前より境内が整頓され、畑にお茶など植わっている。そこで気がついたのは、この寺の本堂が正面を向いていず、わずかに平等院の方へ振っていることで、暗黙のうちに平等院と密接なつながりを持つことを示している。

恵心僧都源信といえば、浄土信仰の創始者であり、『往生要集』の著者として、また高野山にある「阿弥陀聖衆来迎図《あみだしようじゆらいごう》」の作者として知られている。僧都は平等院が建立される前に亡くなっているが、王朝の人々に与えた影響にはいちじるしいものがあった。特に関白道長は晩年に阿弥陀浄土の世界に没入し、土御門邸の東に壮麗な法成寺を建立して、阿弥陀堂の中で毎日十万べんの念仏を唱えていたという。胸の病が直接の原因であったが、栄耀栄華のはてに人生の無常を観じたのであろう。世に「御堂関白」と呼ばれる所以である。

栄華物語に、「よろづの金物みな金なり」と記されているように、法成寺の阿弥陀堂の中は、椽《たるき》のはしから格子の末に至るまで、黄金《こがね》の色にかがやき、螺鈿《らでん》の花や珠玉の飾りがちりばめてあった。その中央に、定朝《じようちよう》が造った九体の阿弥陀如来を安置し、周囲の壁や柱には、聖衆来迎の図が描かれ、観音・勢至が蓮台をささげて死者を迎えに来るという、浄土さながらの景色を現出した。いよいよ臨終が近づくと、道長は本尊の前に、西を向いて北枕に伏し、「御手には弥陀如来の御手の糸をひかへさせ給ひて」、心に浄土の有様を想いえがきつつ、念仏を唱えるうちに息をひきとったと伝えている。

平等院はあきらかにこの法成寺を模して造られた。当時の童謡《わざうた》にも、「極楽いぶかしくは、宇治のみ寺を礼《うやま》へ」と謳われたと聞くが、定朝作の阿弥陀如来が一体しかないのは、法成寺より規模は小さかったであろう。そのかわり、朝日山を正面に、宇治川を見渡す風景は、はるかに優っており、鳳凰を模した軽快な建築も、内部の構造も、一段とこまやかな技巧を凝らしたと思われる。それは道長の没後、約二十五年を経た後のことで、父親の供養の意味もふくまれていたに違いない。そして、頼通もまた道長と同じように、極楽往生をとげることを念願とし、鳳凰堂の阿弥陀如来の「み手の糸」をにぎって、念仏を唱えつつ瞑目したのである。

恵心僧都の真意が、どれほど彼等に理解されていたか疑問だが、理解するより信じることの方が大切で、いかにも氏の長者たるにふさわしい最期をとげた。人間にとって、何より怖しいのは死の恐怖であり、臨終の苦痛である。たとえ摂政関白といえども、そこから遁れることはできない。簡単にいってしまえば、その苦しみから救われることが、浄土信仰の究極の目的で、「臨終正念」ということに重きが置かれていた。恵心僧都の教えも念仏を主としていたが、念仏以外の諸行、たとえば財宝をほどこしたり、立派な寺を造ることも、浄土に導く機縁としたから、彼等は自分の立場にもっとも適した道をえらんだといえる。もし法然や親鸞のように、口称念仏以外の何物もみとめなかったならば、「阿弥陀聖衆来迎図」は描かれる筈もなく、平等院はおろか、おびただしい浄土教の美術が生れることもなかった。そう思う時、恵心僧都は私達に、莫大な遺産を残してくれたといえよう。

だが、極楽浄土のイメージは、仏教が渡来した時から、日本人の心の中に育くまれていた。たとえば中宮寺の「天寿国曼荼羅」は、聖徳太子が亡くなられた後、太子が天国に迎えられる様を現したというし、「当麻曼荼羅」の原型は、中将姫が夢に阿弥陀如来の現れるのを見て、一夜のうちに蓮の糸で織ったと伝えている。その当麻寺が、入日の美しいことで知られる二上山の麓にあるのは偶然ではあるまい。中将姫は伝説上の人物かも知れないが、信仰心の厚い貴族の姫君が、二上山に落ちる夕日に、阿弥陀如来の姿を見たのはありそうな話である。そして、二上山の上には、大津の皇子が眠っていた。このことは、日の出が美しい朝日山に、菟道稚郎子の墓があるという記述と、あまりにも似すぎていはしないか。非業の死をとげた大津の皇子は、死後の祟りを怖れるあまり、人里離れた山の上に葬ったといわれるが、二上山は太古から崇拝された神山である。たとえ怖れる気持があったにしろ、むしろそれ故に、尊い神と崇め、大和の国の鎮めとして、二上山の頂きに祀ったのではあるまいか。稚郎子にも同じような理由があったかも知れない。それ以上に、恵心僧都が当麻の里で生れ、後年、朝日山の麓に住んだという事実は、不思議な縁としかいいようのないものを感じさせる。

人間は一、二歳の時に、根本的な性格が形成されるという。幼い頃から二上山を眺めて育った僧都の心には、太陽を求めて止まぬ精神が、知らず知らずのうちに培われたに違いない。十三歳の時、比叡山の慈恵大師良源の弟子となり、青年の頃には、並ぶもののない知識として、名声を謳われるに至った。その頃の僧都には、二、三興味ある逸話が伝わっている。鴨長明が『発心集』に記しているのは、ある時、僧都が高貴の人に招かれ、布施など多く賜わったのがうれしくて、長年会わなかった母親の元へ届けに行った。ところが老母は喜ぶと思いの外、さめざめと涙を流し、法師を子に持ったならば、後世を救ってくれることと楽しみにしていたのに、「まのあたりかかる地獄の業を見るべきことかは、夢にも思はざりき」といたく嘆いた。僧都は愕然として発心し、遁世の志をかためたという。

また『古事談』には次のような話もある。——学問と弁舌に自信のあった彼は、友達とともに書写山の性空上人をたずねた。上人は無学な人であったから、法門を説いて聞かせようといきごんでいたのである。だが、上人は「無益のこと」といって耳を貸さない。重ねて僧都が、「法門を説いてこそ慧眼も開くのではないか」と問うと、上人は泰然として、「そのようなことは、時々普賢菩薩が現れて、教えて下さるから用はないのだ」と答えた。恵心僧都はその場にひれ伏して、上人を礼拝して帰ったと記している。

そのほかにも似たような話はいくつかあり、新進気鋭の時代には、ずいぶん生意気な坊さんであったらしい。後年、横川《よかわ》に隠遁して、真の修行の道に入ったが、常に「名利」の二字を壁にかけて拝んでおり、「我れ名利の学問を励みて、終に仏道に辿り入ることを得たれば、その恩恵に謝するなり」と語ったという。これらの逸話と『往生要集』を、直ちに結びつけるのは誤りかも知れない。が、その中に描かれた地獄の諸相は、僧都自身が体験したものに違いない。いや、人間は誰一人として、地獄の業火から遁れ得ぬことを、自ら感受し苦悩したというべきか、序文の中で、「いささか経論の要文を集む」と述べているのは謙遜で、要文どころか微に入り細を穿って、人間の罪科をえぐり出す。その筆力と気迫には凄じいものがあり、他人に読ませるためではなく、まったく懺悔のために執筆したとしか思えない。うわべは華やかでも、腐敗乱脈を極めた当時の宮廷では、『往生要集』に接して怖れおののいたというが、仏教の言葉を洗い落してみるならば、皆これ現代の世相に異ならず、我々もまた穢土《えど》の種々相から遁れられないことを痛感する。『往生要集』の普遍性は、ひとえに告白の書に他ならないからで、血を吐く思いで自問自答したことは、精魂こめた文体におのずから現れている。

かつては「名利」の虜となり、「慢心」の餌食となった僧都の学識は、すべてを否定することによって、絶望の淵から立ち上る。「厭離《おんり》穢土」と「欣求《ごんぐ》浄土《じょうど》」は、いわば一枚の紙の裏表のような思想である。平たくいえば、穢土の裏打のない浄土はなく、不幸を無視したところに、幸福も生れない。考え得るかぎりの人間の悪徳、遁れようのない死の苦しみから、肉体の汚物に至るまで、容赦なく摘発してみせた後、一転して聖衆来迎の楽しみに移る。この飛躍はみごとであり、闇夜に光明のかがやく思いがする。極楽の描写は延々とつづいて行くが、初門の聖衆来迎を感得すれば、あとは自然に従って来るというわけで、そこに重点を置いたことは確かである。「お迎え」という言葉が今でも生きているように、生死の際にあって心を乱さなければ、極楽往生疑いなしとしたことは、常に死と直面している、隣り合せにいる、それが生きるということの真の証しだと教えたのではなかろうか。

恵心僧都以前にも、「来迎」という言葉は存在したが、その言葉に意味を与えたのははじめてで、娑婆《しゃば》と浄土を結ぶ接点として、或いは生死の境の仲立ちとして、聖衆来迎のかたちに目ざめたことは、画期的な発見であったといえよう。極楽世界にじっとしていた阿弥陀様は、ついに動き出す。動かさねば止まぬと決心したかに見える。前述の「天寿国曼荼羅」や「当麻曼荼羅」にも、浄土の景色は実に美しく描かれていたが、それはどこか別の世界の出来事であり、阿弥陀如来は手の届かぬところで瞑想にふけっていた。これは一つのイメージかも知れないが、ヴィジョンではない。伝記によると、恵心僧都は、横川において、浄土の観想に想いを凝らすかたわら、多くの弟子達とともに迎講も盛んに行なった。後者は来迎を拝む儀式で、迎接会《ごうじょうえ》ともいい、後世の練供養に似て、それよりはるかに劇的なものだったと想像される。いってみれば静と動の両面から、心身を来迎の一点に集中したのである。横川へ行ってみるとわかるが、杉の大木の木の間から、琵琶湖がはるばると見渡され、対岸の長命寺《ちょうめいじ》から三上山のかなたまで、広い景色が展けている。そういう所に籠って、聖衆が来迎する様を心に描き、口に唱えているならば、阿弥陀如来を動かさずにはおかなかったであろう。高野山の「来迎図」は、もと横川の麓の安楽寿院にあったもので、僧都がそこで修行をしていた時、湖上に現れた荘厳な風景を写したといわれる。むろん自筆ではなく、画僧の手になったと思われるが、金色《こんじき》の阿弥陀如来を中心に、多くの菩薩が渦巻く雲に乗って降臨する景色は、頭で想像しただけではとても表現することは不可能である。下の方には藍で水が描かれ、左手に紅葉の山が見えるのは、琵琶湖とその周辺の山をあらわしているのであろう。もし湖水の上に出現したとすれば、比叡山から見て東の方角に当り、日の出か月の出に来迎を仰いだに違いない。少くとも、夕日でないことは確かで、「山越の弥陀」（禅林寺）や「早来迎」（知恩院）とちがって、その雄大な構図の持つ迫力は、くるめきながら登る日輪を想わせる。西方に浄土があるという観念に変りはなかったが、「来迎」という新しい理想を実現するためには、夜の暗をもたらす夕陽や月光より、この世に光を与える太陽の恵みこそ、「欣求浄土」の喜びにふさわしいものであった。二上山の麓で育ち、叡山で修行した僧都の肉体には、原始的な太陽信仰と、仏教の学問が渾然一体となっており、「聖衆来迎」というかたちの上に、みごとな調和を生むに至った。そこに恵心僧都の創造があり、「阿弥陀聖衆来迎図」の特殊性も見出せると私は思う。

その後私は、四、五へん平等院をおとずれた。が、運が悪いのか、公害のせいなのか、一度も日の出を見ることは叶わなかった。実をいうと、以上に述べたことは、その間に宇治のあたりを歩いたり、比叡山をうろついたりしている間に、漠然と考えたことをまとめてみたにすぎない。

いつしか夏もすぎ、秋が来て、その秋も終りに近づいた。ちょうど京都へ行くついでがあったので、私は性懲りもなくまた平等院へ行くことにした。今年は暖かったので、紅葉にはまだ早く、宇治川は朝霧に閉ざされていた。

また今日も駄目か、そう思ってあきらめていると、朝日が登る頃、たぶん六時半頃かと思う、東の空が明るくなって来た。霧が晴れたのだ。はじめにもいったように、平等院は日の出が遅い。はらはらしながら、池の東側で待っていると、朝日山の左肩からひと条の初光がさした。その瞬間、屋根の上の鳳凰が飛び立ったような気配がし、私は自分の眼を疑ったが、それは光線が上から下へ降りて来るためだとわかった。

太陽が登るにしたがって、鳳凰堂は、逆に屋根から下へ向って明けて行く。それは昼と夜が真二つになったような、奇妙な印象を与えた。軒が深いので、内陣も阿弥陀様も、まだ暗の中である。自然の中ではよく見る風景だが、人工的な建造物のこととて、明暗がはっきりする。そうしている間にも、朝日は刻々と鈍色《にびいろ》の衣をはいで行き、やがて鳳凰堂はかがやくばかりの全景を現した。朝日をあびて、白い壁が桃色に染り、翼廊は羽を左右にのばして、喜びの讃歌を歌う。それは正しく「欣求浄土」の希望と光明にみちた景色であった。たしかにお寺には、それを眺めるに一番適した時刻があり、「朝日山」という山号を、平等院が持つに至った所以を、まのあたり見る心地がした。

ふと気がつくと、日光は既に池の面まで降りて来て、今度は反対に、お堂を下から上へ照しはじめる。水に反射する朝日は昼間よりまぶしく、あれよあれよというまに、阿弥陀如来の台座へ到達した。静かに、息をひそめて、光は膝から両手へ、肩から頭上へ徐々に登って行き、本尊はついに金色の全身を露わにした。とたんにお堂の中にはざわめきが起った。衣文のひだの一つ一つがきらきらと光り、光背のすかし彫りの唐草は、生きもののようにゆらめく。周囲の白い壁にもさざ波が立って、その中を天人が軽々と飛翔して行く。水鏡は軒裏の隅々まで照し出し、天井の支輪に反映して、内陣ばかりか鳳凰堂全体が、虚空に浮んで鳴動するように見えた。

鳳凰堂は常でも水上に浮んで見えるが、この時ばかりは水から離れて、蜃気楼のように宙にたゆたい、終始ゆれ動いているのだった。それはもはや「極楽浄土」ではなく、聖衆が来迎する瞬間の光景だ。何というこまやかな工夫、そして何という壮大な構想か。まったく「来迎図」の絵画が、そのまま立体化されたとしか思えない。みごとな演出、と人はいうかも知れないが、自然の法則にしたがって、はじめてこのような表現も可能になる。

平等院の朝日は、ほんとは秋より春の方がいいとされているが、秋には太陽が南へ廻るため、少しななめに当るからで、落慶供養を行ったのも晩春であった。その翌年に鳳凰堂が完成し、定朝が造った阿弥陀如来は、夜を徹して京都から運ばれ、開眼の法会が行われたのは、旧暦の三月四日のことである。

朝日山は三つの峯にわかれているが、昔の人の眼には阿弥陀三尊と映ったやも知れず、鳳凰堂の本尊と、宇治川をへだてて呼応するように見えたであろう。恵心院と平等院の関係はいうまでもなく、水鏡に映る建築に至るまで、光と影が互いに交錯し合って、微妙な調和を造り出す。それは驚くべき想像力で、単なる演出や計算とは呼べない。そのために、翼廊はことさら高く造ってあり、屋根裏や天井には、一メートル間隔に鏡がはりめぐらしてある。はじめは信仰に出たものに相違ないが、結果としては様々の角度から、光線を反射するのに効果があった。「雲中菩薩」のかかっている壁も、もとは壁画があったと私は想像していたが、この瞬間のために、わざと白い空間を残しておいたに違いない。本尊の光背は徳川時代の後補で、やや重苦しい感じを与えるが、最初ははるかに繊細な造りで、透しもゆったりとってあり、日光をもっとよく通したであろう……。そういうことを考えるにつけても、現代の私達は、仏は拝むものであるということを忘れていはしないか。観光は盛んになった。仏像展も満員である。だが、博物館に並んでいる仏像は、仏様ではなくてオブジェにすぎない。たとえ定朝作の阿弥陀如来といえども、それだけ見れば欠点はいくらもある。それがどうしたというのだろう。平等院という、一つの大きな空間において見る時、一瞬にして永遠なる時間の極みにある時、些細な欠点など消え失せてしまう。そして、私達の知らないところに、広大無辺な世界が存在することを、認めないわけに行かなくなる。仏教信者でもない私が、何故そんなことが気になるのだろう。恵心僧都はいう。

「信心あさくとも本願ふかきがゆゑに、頼まば必ず往生す」と。

熊野の王子を歩く

熊野へ参らむと思へども
徒歩《かち》より参れば道遠し
馬にて参れば苦行ならず
　空より参らむ
　羽賜《た》べ若王子《にゃくわうじ》

と、『梁塵秘抄』に歌われた熊野路は、遠いだけではなく険阻な山道で、「空より参」れるようになった今日でも、けっして楽な旅程とはいえない。が、古くから熊野には、神神がいます国、仏の集う国という観念が浸透しており、特別信仰を持たぬ現代の私たちでも、熊野と聞くと身のひきしまるのを覚える。それはもはや観念というより、日本人の血の中を流れている伝統の力といえるであろう。その何とも知れぬ魅力にひかれて、何度私は熊野を訪れたことか。ある時は伊勢から矢川峠《やのこ》を越えて、ある時は十津川越えや高野山経由で、また西国巡礼の取材をした時は、田辺から中辺路《なかへじ》を経て本宮へ達した。その一つ一つになつかしい憶い出があるが、この度は王子について書いてみたいので、その範囲に限って記してみることにしたい。

熊野には、本宮と新宮と那智神社がある。これを「熊野三山」と称しているが、平安時代から鎌倉期へかけて、盛んに行われた熊野詣は、この三山にお参りすることであった。「蟻の熊野詣」とは、上は上皇から庶民に及ぶまで、無数の人びとが踵をついで参詣したところから、そういう名前で呼ばれるに至ったのである。南北朝の動乱期には、一時衰微したものの、また室町時代には復活し、伊勢参りや西国巡礼が盛んになるにつれ、熊野まで足をのばすことが多くなる。「伊勢へ七度《ななたび》、熊野へ三度、お多賀《たが》さん（または愛宕山）へは月参り」と歌われるようになったのは、そのころのことである。

今もいったように、熊野へ行く道はいくつもある。伊勢からも、高野山からも、大峰修験の行者道も、早くから開けていた。が、いわゆる「熊野街道」は、京都から淀川を船で下り、難波の住吉神社に詣でて、和泉から紀州へ入り、田辺まで南下して、中辺路を本宮へ至るのが本道といえる。院政時代の上皇や法皇が、何十ぺんとなく往復されたのはこの道で、「御幸道《ごこうみち》」とも呼ばれていた。

古い書物などによって、御幸の道筋は辿れるといっても、長い間には変化したり、廃されたりして、わからなくなっている所もある。が、要所要所に王子の跡が道しるべのように残っているので、大体の見当はつく。ことに和歌山県では、王子の研究に力をそそいでいるため、熊野路の門ともいえる海南市の藤白《ふじしろ》王子から先は、正確に知ることができるようになった。

王子というのは、熊野の御子神《みこがみ》の意味で、簡単にいってしまえば熊野三山の末社と考えていい。あるいはイザナギ・イザナミノミコトの王子という説もあるが、それは伊勢と熊野を同体とみなす信仰に起こったのであろう。平安末期ごろから、日本には、童子信仰ともいうべきものが発達した。聖徳太子や弘法大師は、いとけない稚児の姿で現されるようになり、伊勢、八幡、春日、比叡、その他の神社にも、若宮もしくは何々童子と呼ばれる神神が生まれた。その裏には長い信仰の歴史があるので、ひと口に説明することはできないが、やさしくいえば、古い魂に新しい生命を与える復活の思想から出た、といっても間違ってはいないと思う。

熊野の王子はその顕著な例の一つであるが、九十九王子といっても、多くの数を示すだけで、実際にはそんなにたくさん存在したわけではない。そういう意味では、九十九と書いて、つくも王子と訓《よ》んだ方がふさわしいように思われる。それも一度に発生したわけではなく、熊野詣が盛んになるとともに、次第につけ加えられて行ったようで、土地の産土神が王子に昇格された場合もある。

熊野の入り口に当たる藤白王子は、今は阪和高速が通っているので、車で行くとわかりにくいが、海南市の旧道ぞいにあって、名前も今は「藤白神社」に変わっている。境内には、大きな樟《くすのき》がそびえており、「みくまの第一の鳥居」と記した石標が目につく。九十九王子の中では、もっとも格式の高い社で、切目《きりめ》、稲葉根《いなばね》、滝尻《たきじり》、発心門《ほっしんもん》などと並んで、「五体王子」と呼ばれていた。熊野御幸の上皇や公家たちは、ところどころの王子に宿泊し、社前において神楽や歌会が催されたが、その時の詠歌を記したものが、世にいう「熊野懐紙」である。

深山紅葉
うばたまのよるのにしきをたつたひめ
たれみやまぎと一人そめけむ

海辺冬月
うらさむくやそしまかけてよるなみを
ふきあげの月にまつかぜぞふく

建仁元年（一二〇一）十月九日、藤白王子において、後鳥羽上皇が詠まれた御製である。その時上皇は二十一歳であったが、御幸に供奉《ぐぶ》した藤原定家は、日程や道順をくわしく記録しており、険阻な山坂がいかに苦しかったか、ほとほと死なんばかりであったと、愚痴をこぼしている。

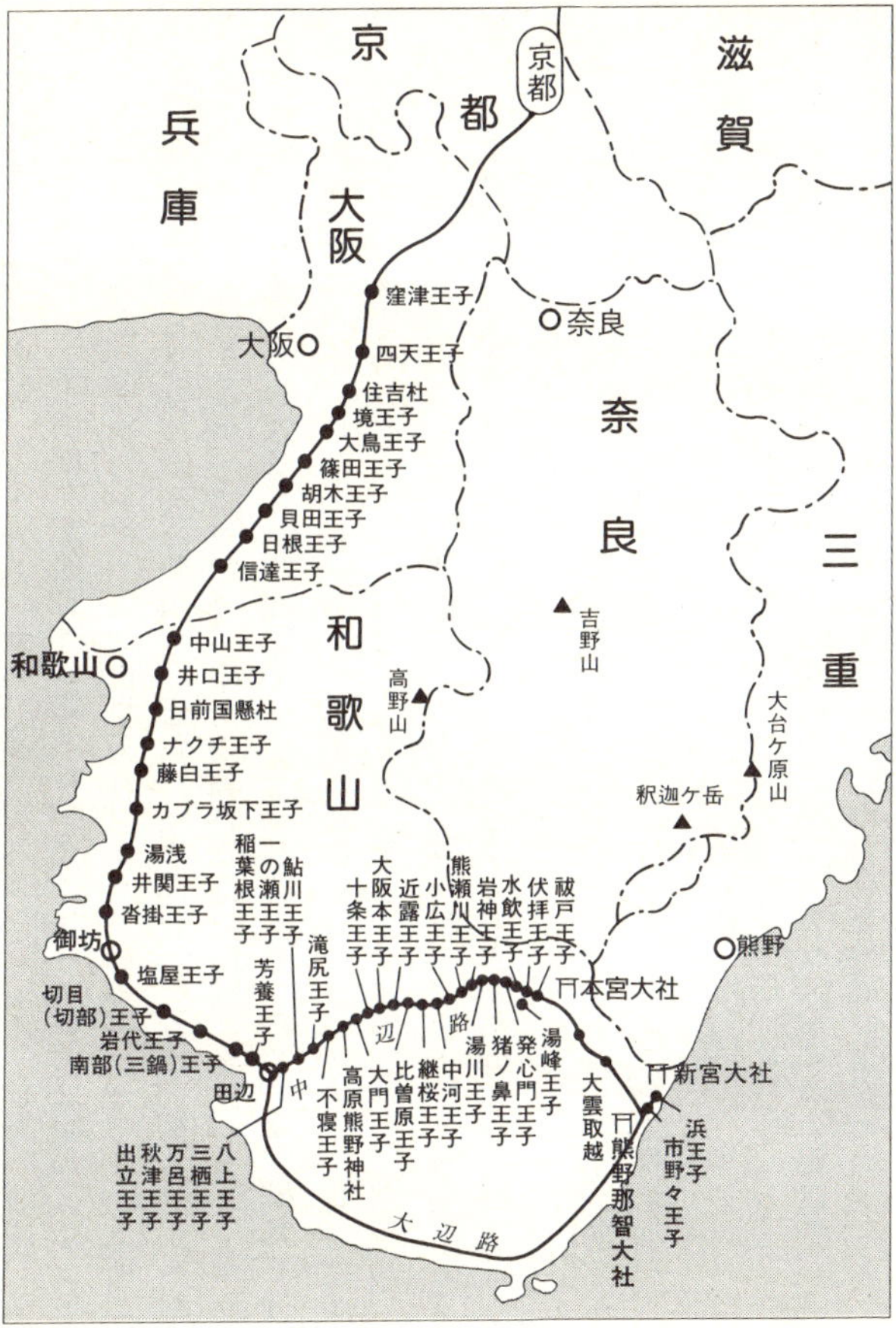
京
都
京都
滋賀
兵庫
大阪
奈良
三重
和歌山
窪津王子
大阪
四天王子
住吉社
境王子
大鳥王子
篠田王子
胡木王子
貝田王子
日根王子
信達王子
中山王子
和歌山
井口王子
日前国懸社
ナクチ王子
藤白王子
カブラ坂下王子
湯浅
井関王子
沓掛王子
御坊
塩屋王子
切目(切部)王子
岩代王子
南部(三鍋)王子
田辺
奈良
高野山
吉野山
大台ケ原山
釈迦ケ岳
熊野
稲葉根王子
一の瀬王子
鮎川王子
芳養王子
滝尻王子
十条王子
大阪本王子
近露王子
小広王子
熊瀬川王子
岩神王子
水飲王子
伏拝王子
祓戸王子
本宮大社
湯峰王子
発心門王子
猪ノ鼻王子
湯川王子
中河王子
継桜王子
比曽原王子
大門王子
高原熊野神社
不寝王子
中辺路
大雲取越
新宮大社
浜王子
市野々王子
熊野那智大社
八上王子
三栖王子
万呂王子
秋津王子
出立王子
大辺路

熊野九十九王子跡

後鳥羽上皇は、建久九年（一一九八）から、承久三年（一二二一）隠岐へ流島になるまで、二十七度（または二十三度）も熊野へ参詣されたという。後白河法皇の三十三度とともに、実に驚異的な回数である。多くのお供を連れ、かりにしつらえた王子の宿所で、はでな遊びをされる旅行には、莫大な費用を要したに違いない。それほど熊野三山へ対する信仰が篤かったともいえるが、熊野には、偉大な勢力を持つ山伏の集団がおり（御幸の先達をつとめたのも彼らであるが）、同時に強力な水軍も擁していた。平家の横暴を抑圧しようとした後白河法皇が、熊野の神へ祈願するのは当然のことであったが、ほんとうの目的は、山伏と水軍を味方につけるためではなかったか。鎌倉幕府に敵対した後鳥羽上皇も、まったく同じ考えのもとに、二十七度にも及ぶ御幸を敢行されたと思われる。それは信仰と遊興と政略を兼ねる旅であった。その目的は達せられたかも知れないが、やがて熊野三山を衰退に導く遠因ともなった。

藤白神社の境内から、旧道を少し登ったところを藤白坂という。斉明天皇の四年（六五八）十一月、謀叛の罪に問われた有間皇子は、側近の舎人《とねり》とともにここで殺された。

家にあれば笥《け》に盛る飯《いひ》を草枕
　旅にしあれば椎の葉に盛る

と、万葉集（巻二）にあるのは、皇子が死出の旅路におもむく途中詠んだ歌で、望郷の切ない想いにあふれている。それは斉明天皇が、紀州の牟婁《むろ》の湯（現在の白浜温泉）に滞在された間の出来事で、皇子は一旦天皇のところへ釈明に行き、その帰りがけに絞殺されたのである。峠道の落葉に埋もれた石仏や石塔は、薄命の皇子の死を悼んで、熊野詣の人びとが後に建てたのであろうか。峠の上の眺望のよいところに、最近造ったらしい歌碑が見出だされるのも、そぞろに私たちの涙をさそう。

ここから旧道を南下すると、田んぼの中や森の木蔭に、点点と王子の跡が見出だされる。今その一つ一つについて書いているひまはないが、旧道は（最短距離を行くため）おおむね山越えのけわしい道を辿り、海岸へ出るのは御坊《ごぼう》から先である。御坊の日高川をさかのぼったところには、安珍・清姫の伝説で名高い道成寺があるが、それについては後に述べる折もあろう。ここでようやく海ぞいの平坦な道へ出て、白砂青松の景色を楽しみつつ行くと、やがて「五体王子」の一つ、切目王子に着く。海岸から少し奥へ入った静かな村の中にあり、熊野御幸の宮廷人たちは、この王子でもしばしば歌会を催した。

切目から田辺へ至る間の海浜の風景は、いつ行ってみても美しい。明るい南国の日ざしのもとに、紺碧の海が輝き、磯馴《そなれ》松の翠《みどり》が目にしみる。王子の跡は大体二、三キロの間に点在しており、岩代《いわしろ》王子の手前には、またしても有間皇子の旧蹟がある。

岩代の浜松が枝《え》をひき結び
真幸《まさき》くあらばまたかへり見む

と、再会の祈りをこめて結んだ松を、皇子はついに見ることは叶わなかった。あまりに明るく広大な熊野灘の景色は、却って歴史の非情さを見せつけるようで、立ち去りがたい思いがするのは私だけではないだろう。

岩代の王子は、「結び松」の歌碑から南へ下ったところにある。海に面した小高い丘に、ささやかな鳥居と、石の祠が建っているだけだが、なまじ大きな神社に合祀されているより、熊野詣の旅情を偲ぶのにはふさわしい。南部《みなべ》の市中には南部の王子、芳養《はや》の町なかには、芳養王子があって、いよいよ熊野路へ近づいた心地がする。

田辺の町をすぎると、旧道は再び山へ入る。出立《いでたち》の王子から先の旧道は、はっきりわからなくなっているが、三栖山《みすやま》の麓には、三栖王子と、八上の王子があり、西行法師がここへ詣でたことが、『西行物語絵巻』にのっている。

待ちつくる八上の桜咲きにけり
　荒くおろすな三栖の山風

樹林にかこまれた王子の社は、絵巻の風景に比ぶべくもないが、西行は心に浮かんだ歌を、斎垣《いがき》（神社の玉垣）に書きつけたと伝えており、孤独な詩人の魂が、今もそのあたりを逍遥しているような感じがする。

八上の王子から降りて来る古道は、稲葉根《いなばね》王子で中辺路《なかへじ》の新道と出会う。昔来た時は、辛うじて小型の車が通れるほどの山道であったが、最近は立派に舗装され、便利にはなったものの、かつての風情はまったく失われた。

稲葉根王子は、この地に祀ってあった稲荷（田の神）と合体していて、樟の大木にかこまれた境内に、稲葉根王子の宮が勧請されている。御幸道はここから富田川《とんだ》を渡って、一の瀬王子へ行くが、度重なる洪水によって、古い道はわからなくなっていると聞く。王子へ参るには、河瀬を渡ることが多いが、それはみそぎの意味を兼ねていたからで、熊野詣の人びとは、その度ごとに身心の汚れを浄める心地がしたに違いない。

滝尻王子の手前、富田川の左岸には、「清姫の墓」がある。十数年前までは、古墳のように樹木が生い繁って、見るからに由緒ありげな墓だったが、今はきれいに整頓されて、幽邃な趣は失われている。清姫は真砂《まなご》（または真名子）の庄司と呼ぶ豪族の娘であったが、心を寄せていた美男の僧安珍が逃亡したと聞くや、この淵に身を投げて大蛇に変身し、日高川の道成寺まで追って行ったと伝える。または日頃水浴びをした所ともいうが、水浴びというのはみそぎのことであろう。旧道を登ったところには、真砂という集落があり、庄司の邸跡や古井戸が今でも残っている。山里に育った長者の娘が、美男の修験者に懸想したというのは、さもありそうな話であるが、龍神信仰と結びついたのは、布教のために諸国を廻った熊野の御師や比丘尼《びくに》が語り伝えたのではなかろうか。

滝尻王子は、富田川と石船川が合流する地点にあり、定家は紅葉が美しかったことを『御幸記』に記している。今度私が訪れた時も、ちょうど紅葉の盛りのころで、川の流れに色とりどりの姿を映しているさまは、まこと「錦繡の山」という形容にふさわしい。

滝尻から近露へは、国道をそれて峠道を登って行く。峠の上には、「高原熊野神社」が建ち、高原王子とも呼ばれている。そこからの眺めはすばらしい。熊野三千六百峰が一望のもとに見渡され、目の下には、千仭の谷また谷が俯瞰される。神社の右手には、「熊野古道」と記した道しるべがあり、一キロ余りで大門王子へ達する。さすがに熊野へ近づくと、王子は目立って多くなるような気がするが、それは多くなるのではなく、道しるべが完備されているためだろう。高原から近露の王子へは、いくつも峠を越えるので、私は車で下の新しい道を行った。ここは本宮と田辺の中間に位置するため、宿場が栄えていたといい、今でもそういう面影をとどめている。が、王子の社殿は、明治の廃仏棄釈の際に廃され、現在は「近露王子跡」の石碑を遺すのみである。

近露から約二キロのところに、比曾原《ひそはら》王子があり、車を降りて旧道を歩いて行くと、「野中の一方杉」という大木の杉並木が現れる。昔来た時は、この旧道を車で通り、あまりに見事な杉なので、写真に撮ったことを覚えている。そのすぐ傍らに、「秀衡桜」が立っており、継桜《つぎざくら》王子の祠がある。「継桜」というのは、檜の老樹に、桜がまつわりついて、あたかも接ぎ木をしたように見えるからだが、奥州の藤原秀衡は、熊野三山を信仰していたので、いつのころか秀衡の桜として伝えられたようである。むろん何代目かの継桜に違いないが、かなりな大木で、花のころはさぞ見事であろうと想像される。

次の中河王子と小広王子は、ほぼ国道にそっているが、旧道はそこから分かれて再び山へ入り、直接本宮の方へ行く。もうそのころには夜になったので、私は湯の峰温泉へ直行し、翌日出直すことにした。

翌朝は早く起きて、旧道を歩いてみる。もはや王子も残り少なくなって、六つしか数えられない。が、地図を見ても、土地の人に聞いても、なかなか道がわからない。運よく山の中で、林道を降りて来る役場の方たちに会ったので、発心門と猪ノ鼻王子を教えて頂く。猪ノ鼻から先は、道が険しいだけでなく、崩れてわからなくなっているから、素人には無理だといわれた。

発心とは、文字どおり、神仏に帰依することで、そういう意味を持つ王子であるから、「五体王子」の一つに数えられたのであろう。度度みそぎを行ったり、険しい山坂を越えて行く間に、人間は次第に自我を滅却し、大自然の中に同化されて、「発心」する気持になって行く。巡礼の一番の功徳は、そういうところにあると思うが、信仰と道しるべと宿舎を兼ねた王子社が、実によく考えて配置されていることに感心する。

やがて雑木林の中に、発心門王子の鳥居が見えて来た。かたわらに美しく紅葉したもみじがあり、木洩れ日の中にひっそりとたたずむ社には、しっとりとした風情が感じられる。定家の『御幸記』には、きらびやかな神殿が建っていたと記してあるが、ほんとうに「発心」するなら、立派な建築が並んでいるより、このように神さびた環境こそ望ましい。

鳥居に向き合って、もう一つ鳥居があり、それをくぐって急坂を五百メートルほど下ると、猪ノ鼻王子に至る。音無川の水源だそうで、どこからともなく谷川のひびきが聞こえて来る。ここからいくつも峠を越えれば、昨日来た小広王子に出られるが、それはあきらめて、再び発心門へ帰り、水飲王子を経て、伏拝《ふしおがみ》へ向かった。

今度の旅行で、もっとも感銘をうけたのは、この伏拝王子からの眺望である。両側から重畳《ちょうじょう》たる山山がせまってきて、その間にほんの少し開けた所があり、音無川と熊野川が合流する地点に、熊野本宮が遠望される。祠の前には濃い紫のりんどうが咲き乱れ、菊の花が供えてあるのは、村びとの間に信仰が生きていることを示している。伏拝とは、遥拝所の意味であるが、たとえ信仰のないものでも、こういう景色に接すれば、思わず手を合わせたくなるに違いない。

今、私は熊野本宮と書いたが、正確には本宮趾というべきだろう。それは熊野川と音無川と岩田川が寄り合う中洲に建っており、鎌倉時代の「一遍聖絵」には、往時の壮観があますところなく描かれている。残念なことに、荘厳を極めた多くの社殿も、明治二十二年の洪水に流失し、現在の熊野本宮大社は左手の山側に移っている。中洲の本宮趾は、うっそうとした樹林にかこまれ、社殿のあったあたりは、広い芝生になっていて、春は桜、秋はもみじが美しい。私はここが好きで、熊野へ詣でる度に訪れているが、度度いうように、なまじ何かあるより自然のままに放置されている方が、静かに昔を偲ぶことができる。

徒歩《かち》で行った時代には、京都から本宮まで十日あまりの日数を費やしたという。私は三日しかかけなかったが、毎日車に十二時間も乗りつづけたのは、現代では苦行のうちに入るかも知れない。旅というものは、出発点から終着点に至るその間に味があるので、たとえばお寺を訪れるにしても、いきなり門前へ乗りつけたのでは、半分の興味もなくなる。その熊野街道は、三山へお参りする一つの道程で、いってみればお寺の参道にひとしい。その長い道中の間に、私たちは美しい景色に接したり、面白い人びとと出会ったり、辛い思いをしたり、暖かい人情にふれたりして、得がたい体験をするのである。日本人は、古代から、そういう文化に育まれてきた。その一例として、「熊野街道」をとりあげてみたが、実は京都から熊野本宮へ至る道はほかにもある。大辺路、小辺路、小栗街道などがそれであるが、それらの中ではもっとも古くて正確な「御幸の道」にしぼって書いた。

南河内の寺

大阪から河内平野を南下すると、二上山から金剛・葛城へかけての雄大な連峰が見えて来る。この辺一帯は、古墳の多い所で、仁徳・応神の御陵をはじめ、大小様々の塚が次々と現われる風景には、何か異様な雰囲気がある。日本武尊の魂が、白鳥と化して飛去ったという羽曳野《はびきの》を右に見て、更に南下すると、人家は少なくなり、葛城山がせまって来る。このあたりの緑は美しい。しっとりと、露を含んだ深い色で、山にも樹にも歴史の重みが感じられる。道がつき当った所を河内長野といい、左へとれば観心寺から千早・赤阪城の方へ、右へ行くと末は五条に出るが、金剛寺はその街道の途中にある。

秘境というのは当らないが、いかにも一つの国のどんづまりという感じがする。まして昔は人も通わぬ山間の僻地だったろう。さればこそ南朝のかくれ家ともなり、近くは天誅組の連絡場ともなったのだが、現在は交通も開けており、大阪からはわけなく来られるのに、それ程人が音信《おとず》れないのは、歴史的にも地理的にも、暗い印象を与えるからかも知れない。河内の中でも、この辺は、紀州と大和を結ぶ裏街道に当り、秘密に満ちた「隠国《こもりく》」である。

そういう様相は、お寺のたたずまいにも現われている。真言密教の寺院であるから、いく分暗いのは当り前としても、ふつうお寺は山の上か、平地でも見晴しのいい所にあるのに、金剛寺はうっかりすると通りすぎてしまうような、山峡《やまあい》の窪地に建ち、うっそうと茂った森の中に、七堂伽藍が埋まっている景色は、大和や京都では見られない眺めである。

ここは「女人高野」と呼ばれるという。室生寺にも同じ名称があったと記憶するが、女人禁制の高野山に対して、女人に開放された寺だった。弘法大師が、高野山に金剛峯寺を建てた時、名も似通った天野山金剛寺を造り、真言修練の道場とした。その後、後白河天皇の皇女、八条院の庇護を受け、以来隆盛を来たしたというが、あくまでも、峯の寺に対する、谷の寺である。或いは、陽に対する陰である。位置も高野の真北に当り、後に南朝三代の行在所になったことを思う時、人生の裏街道を行くのが、この寺の宿命であるらしい。が、それは同時にこの寺の魅力ともいえるであろう。

私は前にも二、三度来たことがあるが、奥へ入ってみたことはない。お坊さんの案内で、庫裏から書院の方へ行くと、美しい庭が現われた。こんもり繁った天野山を背景に、のびのびとした石組み、そして人が入らない為か、目がさめるような苔の翠《みど》り、金剛寺の石庭なんて今まで聞いたこともなかったが、京都の有名な庭に優るとも劣らない。私の好みから云えば、いじくりすぎた庭園より、室町時代の姿をそのまま伝えたこういうのんびりした庭の方が、どれ程ありがたいかわからない。日本の庭は生きものだ。有名になりすぎて、人が大勢見物に来ると、その相まで変ってしまう。それは仏像その他の美術品にしても同じことだろう。

あまり知られていないが、金剛寺には宝物が沢山ある。南北朝の古文書をはじめとして、仏像・仏具・甲冑、その他の工芸品にも見るべきものが多い。中でも室町時代の「日月山水屏風」一双は、絵画の中での逸品といえる。片方は、春から秋へかけての風景で、重なり合った山の向うに、日輪が輝き、もう一つの方は、雪の山に月がかかっている、大胆無比な構図である。一説には、那智を写したともいうが、一種の宗教画であることは確かだろう。日本の風景画は、自然を拝むことから発達したが、拝む心を持たないものに、このように崇高な景色は描けなかったに違いない。春景色の方は、この辺の山の姿にそっくりで、雪の山は、葛城であろうか。眺めていると、これはやはり那智ではなく、金剛寺に住んだ画僧が、自然と長い間つき合って、すっかり自分のものにした後、心の中の風景を描いたように思われて来る。桃山時代という説もあるが、そこにただよう静かな風韻、浪の描写の軽さなど、桃山の豪華さと押しつけがましさはなく、むしろ宗達の手本になったような気がしないでもない。

「野辺雀《のべすずめ》の手筥《てばこ》」も、私の好きなものの一つである。これは平安朝の蒔絵だが、蒔絵というよりざんぐりした漆絵の感触に近い。よく使いこんで、いい味になっているのは、八条院の御料でもあったのか、それとも後村上帝の母后は、この寺で亡くなられたというから、その御遺品でもあろうか。何れにしても、女人高野の名にふさわしい優雅な宝物である。

先にもいったように、金剛寺は南朝三代の天皇（後村上、長慶、後亀山）の、三十年間にわたる行在所であった。が、ある時期には、北朝の三天皇（光厳、光明、崇光）も、同じ寺内に幽閉されていた。足利尊氏が弟直義と不和になり、南朝方に和議を申入れた期間のことで、北朝の三帝は、いわばとらわれの御身だったのである。下の書院には、後村上天皇が、つい目と鼻の上の庵室には、北朝の方々が住まわれたという。いくら大きいといっても、人里離れた山寺に、四人の天皇と后や皇子、それにお供の公卿や侍が敵味方に分かれて同居したのは、何とも不思議な生活で、それぞれ複雑な気持だったに相違ない。辛い思いをされたのは、南朝の側ばかりではなかったのだ。実際にここに来てみると、そういうことが痛切に思われる。それも、四、五年の間で、やがて尊氏が直義を始末すると、和睦は一方的に破棄され、後村上天皇も金剛寺を去って、観心寺へ移られる。正平十四年（一三五九）十二月末のことであった。

この二つの寺は、車で十分ぐらいしかかからないが、同じ道を落ちて行った天皇の一行には、師走の風はどんなにか冷たく、千里の道を往くが如くに感じられたであろう。私の僅かな知識をもってしても、南朝の哀史は、涙なくしては読めないが、自分の意志で戦いぬかれた後醍醐天皇とちがい、その志をつがざるを得なかった後村上天皇ほどお気の毒な方はない。

忘ればやしのぶもくるしかずかずの
　思ひいでてもかへりこぬ世を

それがほんとうのお気持だったと思うが、私が知る範囲では、古今を通じて、こんな絶望的な言葉を吐かれた帝はないのである。

観心寺の山門を入ると、右手に、その行在の跡があり、金剛寺に比べると、ずっとはしぢかだったことがわかる。寺内には、母后新待賢門院の陵《みささぎ》と向き合って、正成の首塚や畠山氏の墓などが並び、そのわきを少し登った所に、天皇の御陵がある。自からこの地を選ばれたというが、七百年を経た今日まで、苦難を共にした南朝の人々にかしずかれている様を見るにつけ、私の心は痛むのであった。

この寺にも美しい書院がある。大阪城の余材をもって造られたと聞くが、欄間の美事さは格別で、部屋ごとに違う文様が彫ってある。よくあるような手の込んだ彫刻ではなく、何れも瀟洒で、近代的なものだ。現代の建築家やデザイナーは、何故こういうものに目をつけないのだろう。何も独創ばかりが自慢になることではない。いやその自意識が古く美しいものに対して鈍感にさせるのかも知れない。昔の人達は、「世は末世」といって嘆いたが、わが世の春を謳歌する現代こそ、実は末世ではないかと私は思う。

本堂は、建武年間に楠木正成が奉行して建てたと伝え、藤原様のなだらかな屋根が、緑の山にとけ合って、静かな落着きを与えている。この中に、あの有名な如意輪観音がまつってある。但し、秘仏とあって、常は拝むことが出来ない。実はこういう機会に拝観し、撮影もしたいと願っていたのだが、案の定許して頂けなかった。雑誌では、写真の掲載も許可しないという。

「何分にも、信仰上の問題でありますので……」と住職は気の毒そうにいわれる。はるばる観心寺まで来ていながら、それもこの観音様が目的であるというのに、写真ものせられないのでは、読者に対しても申しわけない。が、「信仰上の問題」といわれては、ひき下るより他はない。考えようによっては、大事な仏像を売りものにする寺が多い今日、こういう坊さんがいられるのは心強いことではないだろうか。秘仏には、秘仏になるだけの理由がある。ある場合には、贋物で、公開できないこともあるし、この観音様のように、白日にさらすのは勿体ない仏像もある。今もいったように、これは「雑誌」だから許可しないのであって、美術書なら、たとえば平凡社の『世界美術全集』とか、『日本の美術』にものっている。既に御存じの方も多いと思うが、読者はそれをぜひ見て頂きたい。秘仏になった理由がおわかりになると思う。

「生身《しょうじん》の仏」という言葉があるが、それはまさしく生ま身の女体の、妖しく生き生きとした姿なのだ。ことに豊満な六臂には、不思議な力がこもり、吸いこまれそうな気分になる。女の私でもほれぼれするのだから、男が見たらどんな気を起すか。古来どれ程多くの坊さん達が、ふと垣間見た媚かしい肢体に、恋慕の炎を燃しつづけたことだろう。如意輪には、仏法の功徳により、思いのままに苦を転ずるという意味があると聞く。してみると、この官能的な仏には、女体の最高の美を示すことによって、煩悩を転機に菩提へ導くという、逆説的な意味があるかも知れない。そんな廻りくどいいい方をするまでもなく、要するに、惚れこむことが信仰の第一歩だ。そう語っているように見えなくもない。それは多くの僧を迷わせたかも知れないが、同時に多くの僧を救ったに違いない。そういう意味では、危険な仏であり、厳しい仏でもある。秘仏にしておくに如《し》くはないが、また秘仏ほど人の興味をそそるものはない。現に私も、実物を拝んでいたら、こんな不埒な想像はつつしんだかも知れないのだ。

観心寺のお住職は、かねてから、こわい方だと聞いていた。が、私はそんな風には思わない。むしろ親切で、丁寧な方という印象を受けたが、こと信仰に関しては、頑としてゆずらぬ厳しさがある。この頑固さは尊重すべきであろう。時代錯誤とか、勿体ぶってるとか、世間の人々はいうかも知れないが、もともと真言密教は、秘密の宗教なのである。夜のとばりの中で、自力で悟る深遠な仏法だ。それに比べたら、よろずガラス張りで、解説つきで、何もかもダイジェスト的な、近頃の風潮ほど退屈なものはない。ダイジェスト（消化する）どころか、インディジェスチョン（消化不良）を起してしまう。サービス過剰は、ほんとうの親切でも、思いやりでもあるまい。拝観も、撮影も、掲載することさえまかりならぬといわれて、「あの頑固坊主め」と心の隅では思いながら、私は意外にも晴ればれした気持でお寺を出た。

室生寺にて

室生には何度か行っているが、はじめてお詣りしたのは戦前のことで、室生口から先はほとんど歩いたように記憶している。

訪れる度に、便利になっていく反面、昔の幽邃は失われたような気がする。それでも観光寺院というには程遠く、シーズン以外は閑散として、山寺らしい雰囲気をとどめている。最後に訪れたのは、四、五年前のことで、台風か何かで道がくずれ、所々歩くはめになったが、お寺はやはり車で乗りつけるより、徒歩《かち》で行くにかぎると思った。山は椿の花盛りで、花を踏んでお詣りする気分は、何ともいえず快いものであった。

電車で行くと、近鉄室生口で降り、そこから室生川を六キロばかりさかのぼる。駅の近くには、磨崖仏で有名な大野寺があり、清らかな河原をへだてて、切り立った断崖に、みごとな石仏が刻まれている。この寺には、大きなしだれ桜が二本あって、春はこまやかな花をみっしりつけ、紅《くれない》の垂簾の奥ふかく、ほのかに仏が在す気配は、たとえようもなく優美である。

春もいいが、秋は一段と風情がある。ある晩秋の夕暮、室生への帰りに立ちよったとき、落日の斜光の中に、全身がくっきりと浮かび上がり、冷たい石の肌に、山の紅葉が反映して、「弥陀来迎の図」を拝む思いがした。おそらくあのような光景は、一生に一度のものに違いない。それは険しい絶壁に向かって、仏を彫ろうと決意した人の、発願の場に立会うような心地であった。

その人の名を、雅縁僧正という。興福寺の別当で、後鳥羽上皇の命により、承元元年（一二〇七）秋に着手され、足かけ三年で完成した。これほどの大工事が、早くに完了したのは、天皇のお声がかりによるだけでなく、ちょうどそのころ東大寺再建のために、宋から伊行末《いぎようまつ》という石工が来日し、かれらの一派が従事したからだという。私はそのことを、今度はじめて村井康彦氏の『室生路の寺』（保育社版）によって知ったが、伊行末といえば、東大寺の狛犬や四天王だけでなく、般若寺や大蔵寺の十三重の石塔を造ったことでも知られている。風化したせいか、この磨崖仏には、宋風の硬さがなく、渾然と日本の風景の中にとけこんでいるのが美しい。

だが、大野寺の歴史は、それよりはるかに古い。寺伝によると白鳳九年（六八一）、役の行者の草創で、後に弘法大師が室生を開いたとき、「室生寺の西の大門」としたと伝え、はじめは弥勒寺と称していた。

役の行者—弘法大師の線は、山岳寺院ならどこにでもある伝承で、にわかに信用するわけにゆかないが、私の経験では、何もない所へ、いきなりこのようなものが造られたためしはない。おもうに、ここは古代の巨石信仰の遺跡で、その岩境《いわさか》に仏を刻み、のちに寺が建立されたのではなかろうか。それは室生川が大きく迂回する地点にあり、昔はそういう所を神奈備《かんなび》と呼んだ。神が依るところ、なびくところ、の意である。日本の神と、外来の仏は、あらゆる所でそのような形に合体した。神仏の混淆は、まず目に見えるものとして現わされたのである。殊にこの場合は、宋の工人によって、仏身を得たのだから、大野寺のもつ意味は深い。

この磨崖仏は、弥勒菩薩で、古代信仰の聖地にあった弥勒寺に、ちなんで造ったと思われる。弥勒はいうまでもなく、釈迦の滅後数十億年にして出世する仏で、そういう使命を帯びた菩薩が、山の奥深く秘められたことは興味がある。それが発願された鎌倉時代は、末世思想が風靡していた。思想というより現実に、末世の観を呈していた。承元といえば、承久の乱の十年ほど前で、都には不穏な空気が流れ、未だ基礎のかたまらぬ鎌倉幕府は、ことごとに朝廷を圧迫した。

そういう時節に当たって、後鳥羽上皇が、未来の仏を信仰したことは想像にかたくはない。承元三年春、磨崖仏の完成とともに、院は皇太后をともなって大野寺に行幸され、盛んな開眼供養がいとなまれた。宋の石工をねぎらうためもあったと思うが、こんな辺鄙な山奥まで出向かれたのは、よほどの決意をもたれたに違いない。上皇が祈願されたのは、王政復古の遠大な計画ではなかったか。それは失敗に終わったが、清流をへだてて望む弥勒仏の偉容は、上皇に大きな希望を与えたことと推察される。

大野寺から室生川の渓流をつたって、車で二、三十分も行くと、ささやかな集落が現われる。左手の山には、点々と、室生の伽藍も見えてくる。寺は急な傾斜にそって建っているので、かえって近づくと見えにくい。やがて山門の前の橋に達し、ほっとする。ほっとするのは、疲れたわけではなく、目にしみるような白壁のかなたに、清々しい杉木立がそびえ、「彼岸は浄土」といった印象をうけるからである。

この橋のたもとには、「女人高野」と記した石標が立っている。女人禁制の高野山に対して、室生は女人を受け入れたからだが、この名称は近世のものであるという。「女人高野」と名づける寺は、他にもいくつかあり、何もここに限ったことではない。が、室生寺だけが有名になったのは、寺のたたずまいが、女性的な優しさを想わせるからであろう。現在、この寺を訪れる人の大部分は、ロマンティックな名前にひかれるらしいが、悪いとはいえないまでも観念的なことである。室生寺は、「女人高野」より、はるかに深い思想と歴史に彩られており、私はそちらの方に興味を覚える。

だが、寺へ行く前に、室生の前身ともいうべき龍穴神社を見た方がいい。この社は、寺の前の室生川を東へのぼった所に建っているが、雲つくような杉木立は、見るからに神秘的な印象を与える。拝殿の後は、神体山になっており、その山中に、龍穴の祠がある。私が行ったのはずいぶん前のことだが、あの辺は今も変わってはいないとおもう。そこまで入ると、川幅はせばまって、逆まく波が岸を嚙み、今にも龍が現われそうな気配がする。室生川の水源でもあり、古代には水分《みくまり》（水を配分する神）の聖地だったと思うが、龍神と結びついたのは、外来思想が入って後のことだろう。龍は東方の守護神として、水を支配しただけでなく、万物に生気をもたらす霊験あらたかな神だった。寺から見ると、真東に当たるから、そういう土地を選んで、室生寺は建立されたに違いない。

万葉時代に、「隠口《こもりく》の初瀬」と呼ばれたこの地方は、古代人には別の国のように想像され、墳墓の地として著名な所だが、大和からも東に当たるため、龍王、龍門、龍谷などの地名があり、王城を護る霊地として、重要視されたことは確かである。龍神信仰と、祖先崇拝は、必ずしも矛盾するものではない。先祖の霊が、子孫を護るのは当然なことで、ここでも一種の神仏混淆が行なわれていたのである。

古い記録によると、宝亀年間（七七〇～七八〇）に、桓武《かんむ》天皇がまだ東宮のころ、病気にかかったことがあり、室生で祈禱を行った。恢復された後、興福寺の賢璟《けんけい》僧都に命じて、一寺を創建したと伝えるが、祈禱が行われたのは、この龍穴の祠の前ではなかったであろうか。

そのためか、室生寺は一時龍王寺とも呼ばれ、旱魃の際には、しきりに雨乞いが行われたという。元はといえば、龍穴の方が本家なのである。その証拠には、今も室生の里人の間では、龍神信仰が盛んだと聞くが、農民にとって、水は欠くことのできぬ天然資源で、古代の信仰は、いつもそんなふうに、生活と結びついていた。

だが、室生の龍神には、もう一つ、重大な使命があったのではないか。近くに、曾爾《そに》という地名があるが、そこにはもしかすると、水銀の鉱脈があったかも知れない。ソニという名前が、そういうことを思わせるが、朱沙を採る水銀の産地は、古代人には特別大切にされ、龍神のほんとうの役目は、むしろそちらを護ることにあったかもわからない。これは今思いついたことにすぎないが、水銀（朱丹）と雨乞いで名高い宇陀の丹生《にゅう》神社も、ここからあまり遠くはないのをみると、そう突拍子もない想像ではないと思う。

先日、契沖《けいちゅう》の伝記を読んでいたら、彼も室生に籠ったことがあるらしい。周知のとおり、契沖は、徳川時代の著名な古典学者で、少年時代に出家して、煩瑣な寺院生活に苦しみつつ、ひたすら学問に精進した。室生を訪れたのは、もっとも苦悩にみちた青年時代で、高野山の修行にあき足らず、山を下って長谷から室生に入った。

友人の僧義剛の記した伝記に、室生山の南に、一巌窟があって、「師その幽絶を愛し、以て形骸を捨つるに堪うとなし、すなわち首を以て石に触れ、脳且地にまみる。」それでも死ぬことは叶わなかったので、止むを得ずして去った、とあり、凄絶な覚悟のほどを語っている。

自殺にまで追いこんだ原因は不明だが、信仰と学問の間にはさまって、煩悶したことは事実であろう。それにしても、岩に頭を打ちつけるとは、凄まじい決意だが、彼が自殺をはかったのも、龍穴の洞窟だったのではあるまいか。寺からは東に当たるが、山から見れば南の麓にあり、そそり立つ断崖と、山気のきびしさは、ふつうの人にも無気味な感じを与える。まして憂愁に閉ざされた若者が、変な気を起こしたとしても不思議ではない。そのことについて、彼は黙して語らないが、室生で詠んだ二首の歌は、当時の心境をよく現わしていると思う。

旅にして今日も暮れぬと聞くまうし
　室生の寺の入相の鐘
たれかまた後も籠りて独り見む
　室生の山の有明の月

再び元の道に返って、橋を渡り、境内に入る。右手の仁王門をすぎると、小高い岡の上に金堂が建ち、なだらかな石段が、上の方までつづいて行く。これがいわゆる「鎧坂《よろいざか》」で、鎧のさねが重なったように見えるところから名付けられたという。秋は紅葉、春は石楠花に飾られる参道で、下から見上げる金堂は、花のうてなの上に、ゆったり座した仏像のように美しい。

この金堂は、平安時代の建築で、前方をかこむ礼堂は、徳川時代につけられたと聞くが、全体ののびのびした調子をこわしてはいない。内陣には、釈迦如来を中心に、平安初期の仏像が林立し、室生寺が、藤原文化の宝庫といわれる所以がよくわかる。村井氏の説によると、本尊の釈迦如来は、元は薬師仏だったというが（薬師は左手に薬壺を持っており、今はそれが失われている）、神護寺の本尊によく似ており、例の「翻波《ほんぱ》式」と呼ばれる貞観彫刻の傑作である。が、幾分線が細いのは、神護寺の薬師如来より、少し時代が下るのかも知れない。

本尊と並んで、同じく平安初期の十一面観音が立っているが、このお堂の中では、もっとも魅力のある仏像であろう。ふっくらしたお顔が美しく、彩色もよく残っており、暗い金堂の中で、そこだけ花が開いたように、ほのぼのと暖い感じがする。

本尊の背後にある板絵も、私の好きなものの一つだ。正しくは「帝釈《たいしゃく》天曼荼羅《てんまんだら》」といい、ほのかに残る朱と群青の彩色は、夢みるように美しい。室生寺の魅力は、立派な仏像があるだけでなく、たとえばこの板絵とか、厨子の蟇股《かえるまた》とか釘かくし、五重塔の相輪など、あまり人目につかぬ所に、こまやかな心遣いがうかがわれることである。
金堂の向かって左手には、弥勒堂と呼ばれる建築があり（鎌倉時代）、本尊はいうまでもなく弥勒菩薩である。唐から将来されたともいわれ、日本で造ったという説もあるが、精巧な大陸風の彫刻である。その右隣りに、檜の一木造りの釈迦坐像があり、私には本尊より、この仏像の方が親しみがもてる。金堂の釈迦如来と同じく、はじめは薬師だったらしく、堂々とした体軀と、豊かな風貌、それと対照的に、流れるような衣のひだが見ものである。刀が立ちすぎて、軽い感じがなくはないが、傍へよってみると、中々力のこもったもので、日本の彫刻家が、はじめて檜という素材を得て、存分に腕をふるった喜びが伝わってくる。木彫によって、私たちの祖先は、造仏に開眼したに違いない。それまでの金銅仏とはちがって、みずみずしい生気にあふれ、仏像というより、檜の精みたいな感じがする。

金堂の裏手を少し登った台地に、灌頂堂《かんじょうどう》が建っている。日本三如意輪の一つ、平安初期の如意輪観音を祭っているが、観心寺の魅惑的な如意輪、神呪寺の素樸な如意輪と比べて、密教色の濃い仏像である。彩色が落ちて、黒ずんでいるのも、護摩の煙がしみこんでいるのだろう。先にいった「蟇股」は、この観音の厨子についているので、これはまた瀟洒たる宝相華《ほうぞうげ》の愛すべき小品である。

そこから西側へ出ると、五重塔につづく石段が現われる。金堂のそれより幾分せまく、こまかい感じで、その軽快なきざはしの果てに、優美な塔をあおぐ景色は、室生寺の中の圧巻といえる。この塔と石段の調和のとれた造型は、精巧な工芸品でも見るようで、私の趣味からいえば、少しきれいにまとまりすぎたきらいがあるが、それを救っているのは、周囲の環境で、翠したたる杉木立を背景に、ひっそり佇む風景は、王朝の佳人にふとめぐり合ったような心地がする。

この塔はわずか十六メートルしかないというが、九輪の天辺には、水煙のかわりに、花笠のような天蓋が立っていて、そのまわりに、小さな宝鐸が下っており、風が吹くたびに涼しげな音をたてる。実際に、鳴るかどうか知らないが、私はたしかに爽やかな音色を聞いたような覚えがある。もしかすると、それは形からきた錯覚であったかも知れない。が、たとえ錯覚にしろ、大空のかなたから、もしそのような音楽がひびいてくるならば、「女人高野」の詩情は、正にここに極まるといえよう。

金堂から五重塔へ至る間には、あちらこちらに石仏が散らばっている。中でも印象に残っているのは、金堂の右手に、忘れられたように置かれた明王の石像で、時代は下るかも知れないが、面白い彫刻だ。横に力強い文字で、「煩悩即菩提　生死即涅槃」と刻んであり、凄まじい忿怒の形相は、よく願文の主旨を表現している。今、念のため写真を取り出してみると、時代はそう新しくはなく、南北朝くらいであるかも知れない。はっきりしたことは、私などにはわからないが、全体が苔でおおわれ、すばらしい味になっていたことを思い出す。

こう書いてみると、室生寺は、平安美術の宝庫であるのみか、自然と人工のみごとに調和した、地上の楽園を形づくっているといえよう。はじめからそういう構想のもとに造型されたに違いないが、五重塔で頂点に達する甘美な交響楽は、奥の院に至って終止符を打つ。それは自然に消えゆく余韻といったようなもので、ここの奥の院ほど寂しい感じのする所はない。

五重塔の横を爪先上りに行くと、やがて羊歯が一面に生えた谷間へ降りる。山の北側の、じめじめした場所で、石仏や石塔がたくさん並んでおり、この辺を「賽の河原」という。そこに「無明橋」という橋があり、下の河原に石が積んであるのは、子どもを亡くした母親のせめてもの心づくしであろうか。平安の夢は忽ちにして破れ、非情な現実につれ戻されるが、たしかに室生の北山は、南側とは別な世界の趣きがある。時代もちがうし、思想も異なる。これは弘法大師の信仰と無関係ではあるまい。大師が室生にいたという確証はないが、高野山へ移る以前に、このあたりを歩いたことは確かで、室生の地にも立ちよらなかったはずはない。宇陀の大蔵寺は「元高野」と呼ばれるが、室生の「女人高野」も、あるいは道場の候補地の一つだったかも知れない。が、せますぎたため、高野山に決定した。そう考えても不自然ではないと思う。

奥の院は、そのとき弘法が通った道で、いってみれば巡礼路の一種である。少なくとも私には、そういう感じがした。巡礼には、ただ歩くことによって、彼岸に達するという思想があるが、それには「大師の足跡を辿る」という、重大な意味もふくんでいた。仏像や経文によって救われない衆生は、ひたすら大師の面影を慕って、霊場を巡ることに光明を求めたのである。

急な石段を一直線に登り、くたくたになって頂上へたどりつく。そこには大師を祀る御影堂が建ち、眼下にすばらしい景色がひらける。たたなわる山のかなたには、絵のような室生の里が見渡され、松風に和して渓流の音が聞こえてくる。やはり汗水たらして登ったかいはあったのだ。浄土に達する道はいくつもあり、人は自分に適した道を歩めばいい。何十ぺんもくりかえすうちには、しぜん体得するものがあるだろう。説明ぬきでそういうことを教えるのが巡礼というもので、これは極めて日本的な思想だと私は思っている。

そういう次第で、ここは奥の院というより、大師巡礼の札所と呼ぶべきであろう。室生のほんとうの奥の院は、龍穴神社にある。いや、その奥の龍穴の祠にある。私はずっと昔、一度のぞいてみただけだが、あの異様に神秘的な雰囲気は、生涯忘れることはできないと思う。

こもりく泊瀬

先年、近江を廻っていた時、穴太《あのう》の盛安寺という寺で、美しい十一面観音にお目にかかった。土地の言伝えでは、かつて崇福寺に祀られていたとかで、寺の横手のささやかなお堂の中に安置してあった。したがって、盛安寺はただ管理しているにすぎないが、村には強い信仰が残っており、毎月十八日には大勢人が集って、観音講が催されるという。近江にはそういう所が多いが、そんな時もお厨子は開かず、殆んど秘仏のようになっている。信心深い人々にとって、仏像を見ることは問題ではなく、見たら目がつぶれると信じているに違いない。日本の文化財を護って来たのはそういう人達であることを、せめて私は忘れたくないと、その度毎に思うのである。

周知のとおり、崇福寺は、天智天皇が近江に都を造った時の鎮護の寺であった。その寺跡は、穴太から少し南へ下った滋賀の里の山中にあり、三つの尾根にまたがって、金堂、講堂、塔などの礎石が発見されている。壬申の乱で、大津の京が滅びた時、崇福寺も損害をこうむったが、桓武天皇によって修復され、天智天皇の菩提を弔う為、梵釈寺という寺院も建立された。おそらくその二つは重なり合っていただろうと推定されている。『延喜式』では十五大寺の一つに数えられ、十世紀ごろまでは、当初の盛観を保っていたらしい。が、康保・天延とつづく火災や地震に、崇福寺は壊滅し、さしもの大伽藍も礎石を止どめるのみとなった。『近江輿地志略』によると、一の谷の北に弥勒堂の跡があり、東南に観音堂の跡が残っていたというから、土地の伝承を信ずるなら、この十一面観音はそこに祀られていたに違いない。もしそうだとすれば、崇福寺の仏像では、唯一の遺品ということになる。

製作年代は平安初期、十一面四臂という珍しい形式である。多くの災害を経て来たにしては、彩色もよく残っており、右手に錫杖を持ち、岩座《いわくら》の上に立っておられる。錫杖というのは、お地蔵さんの持物だが、十一面観音と地蔵はいわばコンビの仏で、前者が天を現すとすれば、後者は地を示す。陰陽和合の相などともいわれ、よくいっしょに祀ってある。その二つを更に合体したものが、この観音といえるかも知れない。お顔も何となく地蔵様に似ており、全体に柔和すぎる嫌いがなくもない。が、それは時代のなす所で、そんな風に変化して行くところに、観音様の特徴がある。

錫杖を持つ十一面観音は、岩上に立つのがふつうだが、仏教の儀軌にそういう約束があるのかどうか私は知らない。またそのような形式を、美術史では何と呼ぶのか知ってもいない。が、杖を持つというのは、旅をしている姿であろう。天平時代に虚空を飛行《ひぎょう》していた観音が、今は地上に降り立って、衆生済度の為に遊行《ゆぎょう》している、そう解してもさし支えないと思う。岩の上に立っているのは、山を現すとともに、神の岩座の再現であろう。ことに崇福寺は山の上にあったお寺である。こういう観音様が造られたのも不思議ではない。どこをどういう風にして穴太まで辿りついたのか、おそらく名もない村人によって、火災の中から救い出され、現在に至るまで護られて来たに違いない。

長谷寺のことを書こうとして、私は盛安寺の観音にふれてしまった。美しいものに出会わないと、書く気が起らない為もあるが、有名な長谷寺の本尊も、錫杖を持って、岩の上に立っていられる。ただしこの方は天文時代の作で、どこかに原型がないかと探している中に思いついた。それはただ似ているというだけでなく、近江と長谷寺には深い因縁があるからだが、それについては後に述べることにしたい。

三輪山の裾をまわって、桜井から初瀬川を溯ると、程なく長谷寺の門前町に入る。牡丹の頃はここで車を降されるが、冬のさなかにお参りするのは、よほど信心深い人か、私のような酔狂者しかいない。が、「こもりくの泊瀬《はつせ》」と呼ばれたこの地方が、素顔を現すのはそういう時にかぎる。

ハセは泊瀬、初瀬、長谷とも書くが、いずれも正しい。それは瀬の泊《は》つる所であるとともに、はじまる所でもあり、長い谷を形づくってもいるからだ。が、古くは「三神の里」と呼ばれ、初瀬川を神河《かむかわ》といった。『長谷寺縁起』には、「河上約半里滝《たきのくら》蔵山に天人所持の毘沙門天《びしゃもんてん》の像を祀る。古人呼んで天の霊神と呼ぶ。一日雷神此像を奪つて天に昇る時、天王所持の宝塔落ちて河流に漂ひ来たつて此山麓三神里神河の瀬に泊つた」とあり、寺から少し登った川中に「落神《おちがみ》」という巨石を祀っている。荒唐無稽な伝説とはいうまい。おそらく長谷寺の元は、河上約半里の滝蔵山にあり、いつの時か大嵐があって、神の岩座が転落し、その泊った所が、「泊瀬」と呼ばれたのであろう。その川は、やがて三輪山を巻いて、大和平野をうるおす清流となるが、同時に「初瀬流れ」ともいって、しばしば荒れるおそろしい淵瀬でもあった。そういう所が神の在す聖地として崇められたのは当然のことである。地形からいっても、三輪山の奥の院と呼ぶにふさわしい場所で、「こもりく」は神の籠る国を示したものに他ならない。だから上代の斎宮《いつきのみや》も、伊勢へおもむく前に、ここに籠って、神聖な資格を得たので、そのことと切離して、「こもりく」という枕詞は考えられない。記紀万葉の歌人達が、「こもりくの泊瀬」という時、そこに清浄なおとめの姿を思い浮べたに違いないのである。

　こもりくの　泊瀬の山は　出で立ちの　よろしき山
走り出の　よろしき山の　こもりくの　泊瀬の山は

あやにうら麗《くは》し　あやにうら麗し　雄略天皇

こもりくの泊瀬少女《をとめ》が手に纏《ま》ける
玉は乱れてありといはずやも
こもりくの泊瀬の山の山の際《ま》に
いさよふ雲は妹にかもあらむ　柿本人麿

最後の一首は挽歌であるが、いずれもうら若いおとめを歌っている。古代の泊瀬が葬送の地と定められたのも、禁忌の聖地とみなされたからであろう。長谷寺が造られ、十一面観音が鎮座するまでには、実に長い「こもりく」の歴史があった。いかに変化自在な観音といえども、伝統のない所に忽然と湧出するわけには行かなかったのである。

ふつう門前町はお寺に直接みちびいてくれるが、ここだけはちょっと違う。一旦与喜《よき》天満宮につき当り、そこから左折して山門に至る。その天満宮のある山を、与喜山、または「大泊瀬」と呼び、寺の建っている所を「小泊瀬《おはつせ》」という。初瀬川はその中間を流れているわけだが、門前町を歩いて行くと、先ず正面に与喜山の大泊瀬が仰がれる。前人未踏の美しい原始林で、天然記念物に指定されており、野鳥も沢山いる。天満宮に菅原道真を祀っているのは断るまでもないが、本家の北野神社がそうであるように、それは元からの「天神」と、「天神様」が結びついたにすぎない。或いは『長谷寺縁起』の雷神に、道真の怨霊が重なったのであろう。名もない地方の天神社は、そういう風にして全国に拡まったので、初瀬の場合もその一つである。与喜山はよき山で、「出で立ちのよろしき山」とは、ここのことをいったに違いない。『長谷寺霊験記』には、朱雀天皇の天慶年間、この地はよき地、よき山との滝蔵《たきのくら》権現のお告げがあり、菅公に贈られたという。又しても滝蔵の名が出て来るが、現在でも滝蔵を「本地主」、与喜山は「今地主」と呼ばれている。

高い石段を登りつめると、天満宮の社殿がある。ここには道真の神像が祀ってあると聞くが、殆んど見たものはいない。人を通じてお願いしてみたが、文化財のかたでもお断りしていますから、という返事であった。長谷寺の岡田呆師氏が書かれたものによると、昭和のはじめ頃、神像の腐朽が甚しく、捨てておくことが出来ない状態となった。当時の神官が氏子と相談の上、奈良県庁に度々足を運んだが、その時いった言葉が面白い。「天満宮様が御病気です。至急御診察を」――土地の人々が、神像に対して、どのような感情を抱いているか、想像がつくというものだ。その修理の際、岡田氏も拝されたが、「俗に『怒り天神』という忿怒等身の坐像で、まともに拝まれぬほどの迫真力が籠っている」と記している。元はといえば、災害が多い地方の、雷神から発展した信仰にすぎないが、当時の人々が抱いていた、道真へ対する畏れがいかに強烈であったか、示しているのは興味がある。

天満宮の参道からは、太い杉の木の間を通して、長谷寺の全景が見渡され、大泊瀬に対して、小泊瀬と呼ばれた理由がよくわかる。小泊瀬の方が、はるかに規模が小さく、山も浅い。ただしそれは寺の建っている峯だけの名称で、その裏山から巻向、龍王へかけての全体を「初瀬山」と呼ぶ。だからひと口に「初瀬」といっても、その歴史がこみいっているように、奥行は想像もつかぬ程広いのである。

天満宮の石段の途中を右へ曲ると、「化粧《けはい》坂」という峠があり、登って行くと、与喜浦に出る。ここが初瀬から伊勢へ通じる一番古い街道で、峠の手前に雲つくような巨巌がそびえて、泊瀬の斎宮跡と伝えている。『垂仁紀』にいう「磯城《しき》の厳橿本《いつかしのもと》」で、倭姫命《やまとひめのみこと》はここに八年籠った後、伊勢へ向われた（倭姫世紀）。初瀬の急流に面していて、いかにもそういう聖域にふさわしい地形である。現在は畑となっている平地に「野の宮」があり、巨巌は祭祀場であったかも知れない。土地では倭姫命がここでお化粧をしたといっているが、化粧《けはい》は神に変身することを意味したのではないか。初瀬から少し登った小夫《おうぶ》の斎宮山にも、化粧川があり、そこの天神社には大来皇女《おおくのひめみこ》と、菅原道真を祀っているが、初瀬の周辺には道真と並んで、斎宮に関する伝説が多いのである。

天照大神と、十一面観音を、同体とみなす本地垂迹《ほんじすいじゃく》説は、おそらくこのあたりから発生したのであろう。岩の上に立ち、錫杖を持つ観世音が、天照大神の「御杖」となって、諸国を遍歴する斎宮の姿と重なったのは、自然なことのように思われる。が、長谷寺に十一面が祀られるまでには、長い年月がかかった。

この寺には有名な千仏多宝塔がある。正しくは「法華説相図銅板」といい、奈良博物館に保管されている。三重の塔のまわりを多くの仏菩薩が取巻き、台座の下の方に縁起文が鋳刻してある。三尺にも満たない小さなものだが、仏教美術史の上では重要な位置を占め、長谷寺の最初の本尊として、忘れることの出来ない遺品である。

文章はむつかしくて、私などには判読できないが、川原寺の道明上人が、天武天皇の為に造顕したと伝える。これによって、長谷寺の草創が、白鳳期に溯ることが知れるとともに、塔の信仰が中心をなしていたことがわかる。前述の毘沙門天の宝塔を思い出させるが、飛鳥の京から眺めると、初瀬は東北の鬼門に当っており、また太古からの「こもりく」の伝統もあって、浄御原《きよみがはら》の宮の鎮めの為に、三重の塔が建立されたのではあるまいか。

道明上人から約四十年の後、初瀬に一人の聖《ひじり》がいた。徳道上人という。里人から大木の樟《くすのき》をゆずり受け、十一面観音を造ろうと願っていたが、誰も手伝ってくれる人がいない。霊木を礼拝するだけで、七、八年過ぎてしまった。

この樟についても、長い歴史があった。『今昔物語』『大和名所図絵』その他を総合すると、継体天皇の頃、近江に大洪水があり、高島郡の深山から、巨大な樟が琵琶湖に流出した。伐ると忽ち災いが起るので、人は畏れて近づかず、大津の湖上に浮んだまま、何十年も打捨てておいた。

大和の葛木下の郡に住む人が、その噂を聞き、十一面観音を彫ろうという念願を起した。が、大きすぎるので、とても大和までは運べない。ためしに曳いてみると、案外たやすく動いたので、往来の人も手伝って、大和の当麻の里まで運んだ。が、目的を果さぬ中にその人も死に、樟はまたそこに、八十余年の間、巨大な姿をさらしていた。その間、当麻では病にかかる人が絶えなかったので、この木の祟りということになり、どこかへ移そうとしたが動かない。前の人の遺子、宮丸を連れて来て、曳かせてみると、軽々と動いた。

「三十三間堂棟《むなぎの》由来」を思わせる逸話であるが、宮丸はそれを初瀬川のほとりまで曳いて行き、またそこに二十年間抛ってあった。徳道上人は、そういう霊木を手に入れたのである。当時はいくらでも大木があったから、人の噂にのぼる程の樟なら、数千年の齢を経ていたに違いない。そういう霊木には魂があるから、木の方が上人を選んだともいえよう。

養老四年（七二〇）二月、上人はこの木を初瀬の東の峯にひきあげ、庵りを結んで香を焚き、「霊木自ら仏に成り給へ」と一心に祈っていた。たまたま初瀬をおとずれた藤原房《ふさ》前《さき》が、その有様を目撃し、元正天皇に申しあげて、十一面観音を造ることを進言した。が、程なく退位されたので、改めて聖武天皇から勅許を得た。神亀元年（七二四）三月二日のことである。

同六年、観音像は完成し、四月八日に開眼された。身の丈、二丈六尺、稽文会、稽主勲が製作したと伝える。この二人の仏師について、私は知る所が少いが、唐から連れて来た工人であったかもわからない。一説には、藤原鎌足の弟を稽主勲、その子の是純を稽文会といい、天照大神・春日と称したというが、むろん信ずるに足らない。ただ、古い能面に「春日作」の翁があることは注意していい。彼等は河内の春日部に住んでいたというから、外来の仏師の子孫が、代々「春日」を名のり、能面を制作したことはあり得ると思う。

さて、ようやく十一面観音に辿りついたが、最初に記した盛安寺の観音と、長谷寺の本尊が、何故密接な関係にあるのか、もはや説明するにも及ぶまい。素材は大津の湖上に、何十年も漂っていた霊木である。崇福寺に同じ像を祀ることを考えたのは、極めて自然な成行であろう。殊にそれは大津の京の鎮護の寺で、長谷寺とは同じ意味合を持っていた。そういう風に伝承されて行くのが、日本の信仰の姿であり、長谷寺の本尊もその例を洩れない。

それにしても、二丈六尺の金色燦然たる天平彫刻は、どんなに美事であったことか。聖林寺・観音寺の約四、五倍もあるとは、現代の私達には想像もつきかねる。その十一面観音は、「方八尺九寸、高さ一尺の自然湧出の磐石の上」に立っていた。ある日、徳道上人の夢に神が現れ「北ノ峯ヲ指シテ、彼ノ所ノ丈（嶽）ノ下ニ大キナル巌アリ。早ク掘リ顕シテ、此ノ観音ノ像ヲ立奉レト見テ」夢がさめた。行ってみると、夢に見たとおりの岩があり、長谷まで運んで、その上に安置した。今も長谷寺の本尊はその岩の上に立っていられる。「北ノ峯」とは、かの滝蔵山のことで、素材も台座も、日本古来の自然信仰に基づいていることがわかる。が、錫杖を持たせたのは、少し後のことかも知れない。徳道上人が祀ったこの十一面観音は、惜しいことに天慶七年（九四四）に焼失した。長谷寺は、その後もしばしば火災に見舞われ、その度に、灰の中から「頂上仏面一体」を救い出し、新しい本尊の体内におさめた。承久元年（一二一九）、正安四年（一三〇二――この時は洪水で流れた）、文明三年（一四七一）と、一々書くのもわずらわしい。明応四年（一四九五）には、四度も火を出しており、その度に本尊まで焼けたかどうかわからないが、二丈六尺の大きさでは、持ち出すことは不可能であったろう。最後の火災は、天文五年（一五三六）六月二十九日のことで、観音堂のほか、神社仏塔ことごとく灰燼に帰した。が、例によって「仏頂仏面焔灰中に依然として焼け給はず」（長谷寺秘記）、同七年には早くも新しい像を造り、同じく体内におさめたという。これが今に残る長谷寺の本尊で、やはり大変大きな観音様である。そこから天平時代の姿を偲ぶことはむつかしいが、数え切れない程の災害に会いながら、その度毎に復活した、生命力の強さには感銘をうけずにはいられない。

火災は大方冬から春にかけて起きているから、山火事によるのであろう。が、世の中は悪いことばかりではない。復興する為に、長谷寺の僧達が諸国を廻って勧進したので、長谷信仰は津々浦々に行渡った。地名辞典を見ると、長谷と名のつく地が全国に二十以上もある。多かれ少かれ大和の長谷寺と関係のある所だろう。私が知っているのは、鎌倉の長谷ぐらいだが、折があれば、その中のいくつかを廻ってみたいと思っている。

徳道上人には、次のような逸話もある。ある時病を得て死んだが、冥途の入口で閻魔大王に出会った。汝はここへ来るのは未だ早い、直ちに本土へ還って、衆生を救う為、観音霊場を拡めよといわれ、三十三の宝印を授って、蘇生した。よみがえった上人は、すぐ実行にうつしたが、誰も従うものはいない。落胆した上人は、宝印を摂津の中山寺に埋め、その後はかえりみる人もなかったが、平安時代の花山院によって掘り出され、西国三十三ヵ所の巡礼が行われるようになったという。

長谷寺は西国第八番の札所であり、宣伝用の説話にすぎないことは明らかである。が、徳道上人は聖《ひじり》のような存在で、観音信仰を拡める為に、諸国を行脚したことは事実であろう。そういう意味では、巡礼の創始者といってもさし支えはない。そのような信仰の形を、彼は直接十一面観音から学んだに違いない。当時は役《えん》の行者《ぎょうじゃ》や行基のような山岳修行者も出はじめており、仏教は寺院の中から外へ向けて発展しようとしていた。外へ出れば、しぜん土着の神々とも対面しなければならない。長谷寺の観音が、霊木をもって造られ、岩の上に立っているのは、神仏が混淆したことの現れである。その時はじめて外来の仏は、日本の土に根を下し、新しい神と現じて、救いの手をさしのべたといえよう。伊勢の遷宮から、徳道上人の説話に至るまで、日本の信仰に一貫して流れるものは復活の思想である。

徳道上人の墓は、門前町の中程の「法起院」にあり、そこに庵室があったと伝えている。そこから真直ぐ行くと、与喜天神につき当り、左へ曲ると長谷寺の山門がある。その道順はそのまま長谷寺の歴史を語っているように見える。そして私達は長い階廊を登って、極く自然に観音の在す山へと導かれて行く。春は桜と牡丹が咲き乱れ、秋は紅葉に彩られる浄土さながらの景観で、全体の構成が実によく出来ていることに感嘆せざるを得ない。

先年、西国巡礼の取材をした時、そういうことに気がついたが、特に長谷寺に人気が集まったのは、その美しい景色のためもあろう。上からの眺めは格別で、正面左手の方に与喜山がそびえ、宇陀の山並が吉野の方まで遠望される。西国三十三ヵ所のうち、秘仏でないのはここと、岡寺と、藤井寺くらいしかないが、わざわざ観音様を拝むことはないと思ったほどである。実際には、本尊のない寺も沢山あるようで、それで信仰が保たれているとは、面白いことではないか。このことは日本人の観光好きとも無関係ではあるまい。古代の自然信仰は、今も私達の心の底深く生きつづけているのだ。が、何を羞じることがあろう。今こそそれを無意識の暗黒から救い出して、再認識すべき時だと私は思っている。

この度の目的は、滝蔵《たきのくら》山に行くことにあった。長谷寺とは古いお馴染みなのに、「本泊瀬」を訪ねぬ法はない。寺の門前から、北へ向うと、道は急にせまくなり、ほんとうの「こもりく」らしい風景となる。冬のさ中には、さむざむとした眺めだが、山懐ろに抱かれて、日中は反って暖い。「河上約半里」というから、二キロぐらいはあるだろう。やがて右手の方に黒々と繁った山が見えて来た。麓に鳥居があり、「滝蔵権現」と書いてある。そこから急坂を登ると、段々畠になり、程なく頂上の滝蔵権現にたどり着いた。

深い木立の中をすぎ、社殿の前へ出る。社殿は高い石垣の上に立っており、流れ造りの美しい建築である。

残《のこ》んの紅葉がまぶしい程に照り映えて、鳥の声のほか、物音一つ聞えない。あまりの静けさに、手持無沙汰になって、境内の中を歩き廻ってみるが、せまい場所なので、すぐつき当ってしまう。険しい峯に無理をして、神社を造ったに違いない。ここからは与喜山も見える筈なのに、森が深すぎて展望はきかない。が、社殿の中には、神像が何体か祀ってある筈で、お願いしたら、見せて頂けるかも知れない。神主さんの姿を求めて、探してみるが聞く人もいない。仕方なしに私達は神社を後にして、日当りのいい草原に座って、お弁当を喰べた。

そこからの眺めはすばらしかった。右手の方に滝蔵の森が見え、真南に当って、与喜山が、深々とした山容を現している。初瀬川をへだてて、長谷寺が建ち、門前町も玩具のように小さく見える。はるかかなたには、宇陀から吉野にかけての連山が、その中にひときわ高くそびえているのは、「烏の塒屋《とや》」であろうか。まさしくそれは「長谷曼荼羅」の風景で、これ以上何一つつけ加えるものも、詞もない。さすがに「本泊瀬」と呼ばれるだけのことはある。そう納得して、その日は帰った。

伝手《つて》を求めて、神像の拝観をお願いしておくと、翌日見せて下さるという。この機を逸して、二度と拝む機会はあるまい。約束も予定もほっぽり出して、翌朝早くからまた滝蔵へ向う。

昨日とちがって、寒い日であったが、神社の境内はことさら冷い。神主さんの白装束が目にしみるが、そういう時こそ神像を拝むに適している。聞くところによれば、数年前、修理の時に一度扉をあけただけで、千年以来誰も拝んだものはいない。神主さんもはじめてだという。いくら信仰心のない私でも、観音様のおひき合せと思いたくなる。

高い石段を登り、靴をぬいで、社殿にぬかずく。扉のきしむ音が、朝の森にこだまする。先ず中央の扉があき、つづいて白木の厨子が開かれる。中には美しい女神が端座していられた。身体がふるえたのは、あながち寒さのせいばかりではない。それは期待していたより、はるかにすぐれた、藤原時代の神像であった。朱と白緑の彩色がほのかに残り、特にお顔が美しい。いずれ名のある仏師が造ったのであろう。お顔はふつうより丁寧に彫ってあり、衣服の方は単純に仕あげてある。山奥にある神像は、見る影もなく崩れていることが多いが、この女神は今生れたばかりのように新鮮である。社殿は三つ並んでおり、右の方にも同じような女神と、若宮らしい童形の像を祀り、左側には少し時代の降った神像が二体おさめてあった。

神主さんに伺うと、イザナギ・イザナミの命と、速玉神であるというが、そういう名称は後につけたもので、はじめは山の神霊を祀ったものに違いない。女体で現される場合が多いのは、自然の恵みを与える山が、母性神とみなされたからであろう。速玉神は熊野の神で、こんな所に勧請されたのは場違いだが、西国巡礼の第一番の霊場が、那智にあることを思えば、おのずと謎はとける。熊野信仰は、西国巡礼を媒介にして、こんな山奥まで浸透していたのである。

神社から少し降った参道に鳥居があり、せまい空地になっていて、土地では「観音屋敷」、または「本長谷寺」とも呼んでいる。かつてここにも十一面観音が祀ってあったに相違ない。深い谷をのぞきこんだとたん、私はふと『今昔物語』の話を思い出した。ずいぶん前に読んだもので、忘れていたのが突然還って来た。

「今ハ昔、長谷ノ奥ニ滝ノ蔵ト申ス神在マス。其ノ社ノ前ニ、ノキ合セニ、三間ノ檜皮葺ノ屋有リ。社ノ方ハ山ナレバ、高キ所ニ立チテ、前ノ方ハ谷ニ柱ヲ長ク継ギツ、立テタリ。其ノ谷遥カニ深クシテ、見下セバ目クルメク」


まったくそのとおりの断崖絶壁で、ここに懸崖造りの観音堂が建っていた。ある年の正月、大勢の人がお参りしたが、夜半すぎた頃、突然谷に面した柱がかたむき、地震かと騒いでいる中に、お堂は真逆様に谷底へ崩れ落ちた。山は忽ち阿鼻叫喚の巷と化した。その中に、女一人、男三人、小童二人、谷底へ落ちたが、かすり傷一つおわずに助かった。

「此レヲ思フニ、此ノ生キタル者共、前生ノ宿業強カリケルニ合セテ、神ノ助ケ、観音ノ護リコソハ有リケメ。実ニ此レ希有ノ事也トナム語リ伝ヘタルトヤ」

近江の庭園——旧秀隣寺と大池寺

比良山《ひらさん》の奥に発する安曇川《あど》は、朽木《くつき》渓谷の間を縫って、平野へ出、高島の北で琵琶湖に入る。河口のあたりは広大なデルタを形づくっており、現在は安曇川町と呼ばれているが、古くは万葉集に、「阿戸」、「吾跡」などと書かれた肥沃な地方である。

そこから十数キロ溯ると、次第に両側から山がせまって来て、渓谷めいた雰囲気となる。安曇川にそった道も南へ迂回して、比良山の裏側（西）へ入って行くが、そのあたりが朽木村で、市場という集落で、若狭から来る街道といっしょになり、末は京都の大原へ通ずる。市場から少し南へ行ったところに、岩瀬という村があり、そこの興聖寺という寺の境内に、旧秀隣寺庭園がある。

私がはじめて興聖寺を訪れたのは、今から二十年ほど前で、若狭から京都へ帰る途中であった。別に古い庭に興味をもっていたわけではない。朽木谷は、木地師（木地屋、ろくろ師ともいい、木工を専門とする職人の集団）で知られた地方で、お寺へ行けば、何かわかるかも知れないと思ったからである。が、案外そうしたものは、産地には残っていないのがふつうであり、住職もお留守だったので、何も聞きだすことはできなかった。お寺の奥さんは気の毒に思われたのか、本尊の釈迦如来（藤原時代）を拝観させて下さった後、室町時代の庭園もあるからといって、境内の茂みの中を案内して下さった。

それは本堂に向って左手の片隅にあったが、雑草に埋もれて、わずかに石組らしいものが見えるだけで、ほとんど庭とは呼べないほど荒廃していた。素人の私には、そこに室町時代の本格的な庭園が秘められていることなど、想像することもできなかったのである。ただ、木立ちを通して比良山の山並みが見渡され、田圃の向うに安曇川が流れている風景が、いかにもゆったりと気持よかったことが印象に残ったにすぎない。

その後私は、取材のためにしばしば近江をおとずれるようになり、安曇川を何度となく往復した。そのたびに興聖寺へ立ちよったが、そのたびに庭は少しずつ整備されていることに気がついた。今ではまったく元の形に復元され、たっぷり水をたたえた池に、鶴島・亀島の石組が影を映し、森の下草に埋もれていた「鼓の滝」からは、清らかな山水がしたたり落ちている。そこには麗しく保存された京都の石庭とは、また趣のちがう素朴さと、戦国武将のきびしさが現れており、武家の庭園とは、正にこうあらねばならないという感じがする。

それは私に、かつて見た観音寺城の石積みを思い出させた。観音寺城というのは、近江に四百年のあいだ君臨した宇多源氏、佐々木一族の城跡で、観音寺山（きぬがさ山ともいう）の頂上の近くにあり、麓から天辺まで荒々しい自然石で築かれている。織田信長に滅ぼされたので、今は城の石積みしか見ることはできないが、けわしい山上にあるためか、その時のまま少しも損われてはいない。それは私たちがふつう考えている城の概念とはちがって、山全体が砦であるような印象を与えた。

もちろん、城と庭では規模も違うし、目的も異なる。だが、そこに現れている精神は、まったく同じもののように思われる。あるいは、全山砦のような観音寺城を、一点に集約したものが旧秀隣寺の庭園であるといってもいい。

近江はよい石をたくさん産出する地方で、石造美術の名品も少なくないが、特に日吉《ひえ》神社の石垣はみごとなものである。日吉神社のある坂本のつづきには、穴太《あのう》という集落があり、そこには古くから「穴太衆」と名づける石積みの集団がいて、石垣ばかりでなく、城も彫刻も造っていた。観音寺城も安土城も、おおかた彼らが築いたものに違いない。旧秀隣寺庭園でも、庭師は京都から招いたかも知れないが、実際に石を立てたのは穴太衆ではなかったか。

専門的なことは私にはわからないけれども、そこに用いられている石はほとんど近江のものだから、彼らが手がけなかったはずはない。その豪放な石組に、私が観音寺城を思い浮べたのは、考えてみれば当然のことであったのだ。

それにしても、なぜ興聖寺の境内に、秀隣寺の庭があるのか。それについては、ややこしいいきさつがあるが、今はふれない。ただ徳川時代に、秀隣寺の跡に、興聖寺が移って来たことと、両方とも佐々木の一族、朽木氏の菩提寺であったことを記すにとどめておく。庭があのように荒廃したのは、もともと別の寺院に属していたからであろう。

享禄元年（一五二八）の秋、足利十二代将軍義晴は、三好の乱をさけて、朽木谷へ逃れた。朽木の領主、稙綱《たねつな》は、将軍を丁重に迎え、その時書院の前に庭を造って、漂泊の将軍の心を慰めた。実際に事に当ったのは、将軍に供奉していた細川高国であったが、高国はほかにも庭を築造しており、当時の武将や政治家には、そういう風流な文化人が大勢いた。築城と築庭の間には、今私たちが考えるような区別はあまりなかったのかも知れない。

将軍義晴はそこに四、五年滞在し、その館の跡に建立されたのが秀隣寺である。『近江輿地志略』には、「周林院」と記してあり、稙綱から四代目の宣綱の夫人を周林院と号し、ここに葬ったので寺に直したと伝えている。彼女も佐々木の一族、京極家の出で、太閤秀吉の側室、松の丸殿の妹であったから、大切に扱われたのであろう。

書院が建っていたとおぼしきあたりは、空地になっており、今は樹木が茂ったため、庭は逆光線になって、あまりよくは見えない。が、明るい河原の風景をバックに自然石が屹立している景色には、墨絵を見るような趣がある。いつ行ってみても観光客などいたためしはなく、室町時代の文化を偲ぶには絶好の場所であるが、鳥の声のほか物音一つしない山間の佗住居は、将軍にとっては寂しい日々であったろう。その時彼はわずか十八歳、幕府には昔日の権威はなく、世の中は乱れに乱れて、群雄割拠の時代に突入していた。義晴はここから近江を転々と放浪し、一時は都へも帰ることを得たが、傷心のあまり病となり、最後は穴太で没したという。

去年の秋、私がおとずれた時も、境内は閑散として、人影もなかった。「鼓の滝」のしとしとと落ちる音に耳を澄ましつつ、その流れにそって、曲水式と呼ばれる庭を一巡した。元の形に復元されたといっても、やはり荒廃の跡はかくしきれず、阿弥陀如来を象徴する「三尊石」はみごとであるが、脇侍の石は欠けたり倒れたりしていた。

向って左側の中島に、亀が頭をもたげたような形に立っているのを、たぶん「亀石」と呼ぶのであろう。いずれも苔むして、いい味になっているが、一方の鶴島のそばには平たい橋がかかっており、寺の案内書には、「楠木化石橋」と記してある。が、後に読んだ解説によると、これだけが紀州産の青石であるとかで、後はすべて近江の石を用いているということ。

専門家の説によると、未だこの時代には「借景」という意識はなく、周囲の自然から遮断して、庭そのものの表現に集中して造られたようである。たしかにそういう雰囲気は感じられなくもないが、それは西洋流の考えかたで、はたして日本人が庭を造る場合に、完全に周囲の自然から離脱し得たであろうか。前方にそびえる比良山は、古代から信仰された神山であり、それを取りまいて流れる安曇川は、おのずから神奈備《かんなび》川の様相を呈している。西洋の幾何学的な庭園とはちがって、はじめから自然に似せて構成された日本の庭が、周囲の山水、それも長い歴史と伝統に彩られた風景を、まったく無視することが可能であったかどうか。むしろ、はじめから借景の意図は有していたものの、充分に表現することができなかったのではあるまいか。木立に囲まれた庭園の、安曇川に面した側だけが開けて、比良山を望めるように造型されているのは、私にそういうことを考えさせる。そして、これ見よがしに借景風に造った庭よりも、かえって深い趣があるように思われる。

私はそこから湖南の大池寺へ向った。秋晴れの爽やかな昼下り、珍しく竹生島も、三上山も、長命寺山も、遠く観音寺城から伊吹山の方まで見渡せる。そこで私は再び日本の庭というものが、いかに自然をよく模しているか、よく見ているることとか、感動をあらたにした。

今あげた島も山も、古代から信仰された聖地である。たとえ蓬萊山を表現する目的を持っていたにせよ、無意識のうちに日本の風景を手本としたに相違ない。そういうものが伝統であり、周囲に美しい自然があればこそ、借景という思想も生れたのだ。砂漠や草原の中では、借景などという手法は、想像することもできなかったであろう。

琵琶湖のふちを南下すれば、わけなく行けると思っていた大池寺は、意外に遠かった。大池寺は、東海道（国道一号線）にそった水口《みなくち》の手前から、少し北へ入った山中にある。街道筋は交通がはげしいが、町をはずれると別天地の静けさで、名坂という集落をすぎ、八幡神社の建つ丘陵をまわると、目の前に小ぢんまりとした寺が現れる。参道の両側は、田圃になっていて、山懐に抱かれた感じの和やかなたたずまいである。

昔はここも訪れる人は稀だったが、今日は会社員のような先客が四、五人おり、彼らの後につづいて座敷へ通る。そこには目ざめるような緑のさつきの刈込みがあった。この頃は観光バスも来るのか、住職の奥さんは馴れた口調で説明をはじめ、私は上の空でそれを聞いていた。さむざむとした湖北から湖南へ来ると、庭までこんなに違うのかと思うほど、明るく暖かい眺めである。が、それは時代が下るせいもあろう。

小堀遠州の作と伝えているが、実は遠州の曾孫の政房が、水口城主であったので、江戸初期とみなすのが正しいらしい。この前来た時は燃え上るようなさつきの花盛りであったが、庭はやはり白い砂と緑一色の清楚な方が落着きがあって美しい。

この庭も蓬萊山と鶴亀を表わした枯山水であるが、さつきの大刈込みで表現したところが、前者とはまるで違う。旧秀隣寺庭園を墨絵と見るならば、これは金銀彩色の桃山屏風にたとえられよう。入ったところは、書院の東側の庭で、白い砂をしきつめた上に、円形や四角の刈込みがあり、中央の長方形の部分は、宝船を表しているという。してみると、その中に点在する小さな刈込みは、七福神を象徴するのであろうか。

書院の縁に近く、右手の方には、丸い刈込みがあるが、これは亀の形を表しているそうで、首のところに小さな石が置いてあるのが愛らしい。私はふと、飛鳥の「亀石」を思いうかべた。古墳時代の巨石と、さつきの刈込みでは重量感がちがうが、形はまったく同じもので、似たような印象を与えるのが面白い。このような刈込みを作りあげるには長い年月、——少なくとも二、三十年はかかるであろうし、四季折折の手入れも大変だろうとお察しした。

中心の船型刈込みから左の方へ、さながら大波・小波を想わせるような、起伏のある刈込みがつづいて行く。それは書院の北をめぐって、裏側の茶室へつづき、そこには築山風の庭がある。やはり刈込みに石をあしらっているのだが、こちらの方は蓬萊山と鶴を象徴しているという。真中が高くなっているので、蓬萊山はわかるにしても、どれが鶴だか、私には見当もつかなかった。こういう庭には、とかく多くの説明がつきまとうが、それ自身で満ち足りて美しいものには、多くの言葉を必要とはしない。おめでたずくめの解説をしばし忘れて、緑一色のゆるやかな起伏に身心をゆだねていると、百坪あまりの小さな庭がとめ処もなく広がって、再び私の心には、湖水をへだてて眺めた遠山の景色がよみがえって来る。

小堀遠州は近江の湖北、小堀村の出身であった。その子孫も代々近江と関係が深い。彼らにとっての蓬萊山とは、竹生島であったかも知れないし、風光明媚な琵琶湖の風景が、遠州の茶道に影響を与えなかったはずはない。大和郡山の慈光院の庭も、遠州の作と伝えるが、大池寺の大刈込みと同じ精神を私は感じる。ただ欲をいえば、茶室の方の蓬萊庭園は、少し手がこみすぎていて、書院の庭ほどの豊かさと大きさを欠くように思った。

手入れはどうされているのか、奥さんにうかがうと、裏山の林には植木屋が入っているが、庭の刈込みは全部住職がなさるという。禅宗の寺では、それが修行の一つとなっているのであろう。また、そうでなくては、何百年もの間、原型を保ち得たはずはない。考えてみれば、日本の庭ほどはかないものはない。一年といわず、半年も放っておけば、自然に還元してしまう。だからこそ日々の手入れが大切であり、美しい庭というものには、持ち主の愛情だけではなく、人格のよしあしまで現れるように思う。

だが、大池寺ははじめから禅宗の寺ではなかった。その草創は古く、天平時代に溯る。寺伝によると、東大寺の大仏建立に功績のあった行基の建立で、はじめは青蓮寺《しょうれんじ》と号したと伝えている。その後、火災に会ったり、衰退したりして、変遷を重ね、寛文七年（一六六七）臨済宗の寺として再興され、寺号を大池寺と改めた。

行基はもともと山岳修行の仏徒であり、大仏を建立するに当って、伊賀・甲賀の周辺で木材を集めていた。青蓮寺もその一つの起点であったに相違ない。特に湖南にそういう古刹が多いのは、天平時代に聖武天皇が信楽に遷都されたためもある。大仏も、はじめは信楽の甲賀の寺で発願された。それは両方とも失敗に終り、天皇は大和へ還幸され、大仏も奈良で完成したのであるが、青蓮寺が衰退したのは、もはや用がなくなったせいかも知れない。

私がはじめて大池寺をおとずれた時、——それは十五、六年も前のことであるが、なぜ山間の寺院が「大池寺」と呼ばれているのか、不思議でならなかった。寺の境内に池らしいものはなく、もしかすると枯山水を池に見立てたのではないかと思った。その日はおそくなったので、たずねもせずに帰ったが、次に行った時、境内の外郭を歩いてみて、大きな池がまわりをとりまいていることを知った。参道の両側にある田圃も、その地形から見て、かつては池の一部であったに違いない。「水口」という地名が、この池と関係があるのかどうか私は知らないが、灌漑用水として、今も田畑をうるおしていることは確かである。

大きな池の真中に、浮んでいるように建つ寺の姿は、正に蓬萊山そのものの風景で、境内に蓬萊庭園を造ったのは、偶然ではないとその時直感した。この土地になじみの深い小堀遠州の一族が、寺の地形を知りつくした上で構想をねったのであろう。この場合は、もちろん「借景」とは呼べないが、広い意味で、借景の意識が働いていなかったとはいい切れない。内なる庭と、外の景色が、互いに呼応し、無言のうちに共鳴し合っている、そういうものが日本の庭であり、禅宗の思想ではないかと私は思う。

今度行った時は、少し克明に池の周囲をまわってみた。もしや開発のために、景色が変っているのではないかと恐れてもいた。景色は損われていなかったが、中ほどに新しい道路が作られ、池は真二つに分断されている。大池があっての大池寺なのだから、なるべくこういうことはしてほしくないと、こういう機会にお願いしておきたい。

お寺に近い方の池の中には弁天島があり、水の中に鳥居が立っている。それを右に見ながら、土手の上をつま先上りに行くと、はじめの方に記した八幡様の社が、丸い岡の上に建っていた。そこから南を望むと、信楽の飯道山《はんどうざん》が真正面に見える。そればかりか、八幡様の鳥居の真中にぴたりと山がおさまっている。飯道山は古代から信仰された神山で、紫《し》香楽《がらき》の宮の鎮護の神である。大池寺の前身の青蓮寺が何故ここに建てられたか、とたんに私には読めたような感じがした。

私が今まで見た経験では、古い寺院はみな土地の地主神社と同じところに建っている。たとえば京都清水寺の地主権現、比叡山の日吉神社、興福寺の春日神社といったように、それは仏教を流布するための政策であったかも知れないが、そこに神仏混淆の信仰が生れ、互いに離反することなく発展をとげたのである。この神社も、今は八幡様に変っているが、天平時代には飯道山を遥拝するための地主の神で、行基はそういう土地をえらんで、青蓮寺を建立したに違いない。

私はそれを確かめるために、もう一度大池寺へ帰ってたずねてみた。お寺では八幡様の由来について知ることはできなかったが、昔から大池寺とは結びついており、明治の神仏分離令によってわけられるまで、両者は不即不離の間柄にあった。神主さんはいないので、今でも住職がお祀りをし、祝詞もあげていると話して下さった。庭園とは直接関係のないことだが、山や水を神として崇める信仰がなかったならば、蓬萊山などという外来の思想を、素直にうけ入れられたはずもない。蓬萊庭園と名づける造型は、太古からの自然信仰が生んだ芸術であり、神仏混淆の一つの現れと見ることができるであろう。

幻の山荘――嵯峨の大覚寺

私の母は京都が好きで、わけても嵯峨野の風物を愛していた。およそ教育ママとは縁遠い人間で、学校を休ませてまで私を京都へ連れて行き、方々のお寺や庭を案内してくれた。遊び盛りの子供にとっては、迷惑なことであったが、無意識のうちに得た影響というものは大きい。いつしか私もお寺参りが好きになり、今では仕事のようになってしまった。

母は私が十九の時に亡くなったが、遺言により、分骨して、嵯峨の清涼寺（釈迦堂）の裏山に埋めた。今もささやかな供養塔が、本堂の北側の繁みの中に建っており、そこからは嵯峨天皇の御陵の山や、大覚寺の杜が見渡される。先日、取材に行った時も、私はお参りに立ちより、母に手をひかれて、この辺を歩いたことを思い出していた。

何しろ古いことなので、断片的な記憶しかないけれども、なぜか大沢の池は気に入って、すすんで連れて行って貰ったことを覚えている。大方それは規模が雄大で、半ば自然のままに放置されているのが気持よかったのかも知れない。いや、そんな高級なことではなく、いくら駆けずり廻っても叱られなかったので、いい印象を持っているのだろう。いつ行ってみても、のびのびと、心が開ける思いがするのは、今日でもまったく変りはない。人間が野蛮にできているせいか、人工的に手のこんだ庭より、適度に荒れて、風化した景色の方が私は好きなのである。

いくつぐらいの時だったろうか、大沢の池に舟を浮べて、お月見をしたこともある。最近は仲秋の名月の夜に、鳴りもの入りで船遊びを行うと聞くが、そんな観光的な行事ではなく、極く少数の物好きが集まって、ささやかな月見の宴をひらいたのである。その夜のことは今でも忘れない。息をひそめて、月の出を待っていると、次第に東の空が明るくなり、双ケ丘《ならびがおか》の方角から、大きな月がゆらめきながら現われた。阿弥陀様のようだと、子供心にも思った。やがて中天高く登るにしたがい、空も山も水も月の光にとけ入って、蒼い別世界の底深く沈んで行くような心地がした。ときどき西山のかなたで、夜鳥の叫ぶ声が聞えたことも、そのすき通った風景を、いっそう神秘的なものに見せた。

その後、大人になってから、私は度々お月見に行ったが、二度とあのような気分は味わえない。月にも花にも紅葉にも、一生に一度という瞬間があることを、私はこの頃になって身にしみて感じている。そういうことを、「年のせい」というのかも知れないが、ものに出会うことの有がたさ、たのしさは、しょせん若い頃には、経験はしても理解することはできなかった。せめて、経験する機会を与えてくれた母親は、もしかすると、極端な教育ママではなかったかと、今にして思う。

博物館の白畑よし先生に誘われて、大覚寺に「嵯峨菊」を見に行ったこともある。花弁が糸のように細い幽艶な菊で、嵯峨でしか育たないと聞いているが、大沢の池には「菊島」という島があって、昔はそこに群生していたという。

ひともとと思ひし花をおほさはの
池の底にも誰かうゑけん　　紀友則

少ししかないと思っていた菊が、池水に影をうつしてみっしり咲いている景色を、「おほさは」にかけて歌っているのだが、『古今集』の時代に、既にこのように詠まれているのをみると、「嵯峨菊」はそれ以前から、人に持て囃された名花であったに違いない。現在の菊島には、「ひともと」も見ることはできないが、あの繊細な菊の花が、水鏡にゆれている光景は、どんなにか風情に満ちていたことだろう。もしかすると、「菊島」の名は、この友則の歌から起こったのかも知れない。

周知のとおり、大沢の池は、嵯峨天皇の山荘の跡で、大覚寺は天皇の死後に建立された。したがって、純粋に大覚寺の庭とみるわけには行かない。あくまでも大沢の池は、嵯峨山院の旧跡地で、今も寺とはつかず離れずの位置にある。このあたり一帯は、かつて豪族橘氏の所領で、『日本後紀』によると、後に嵯峨天皇の皇后となる橘嘉智子は、ここに広大な山荘をいとなんでおり、まだ皇太子であった天皇を、遊猟に招いたと伝えている。

嘉智子の人となりは寛和で、風貌は優れて美しく、手を垂れると膝をすぎるほど長かったと、『文徳実録』は記している。極めて個性的な美貌と才能の持主であったらしい。河内の国交野《かたの》で育ったので、皇太子にみそめられたのは、その頃であるが、やがて相思の間柄となり、都に近い嵯峨野に移ったのではなかろうか。大同四年（八〇九）四月、天皇が即位されると、直ちに嘉智子は入内して夫人となり、弘仁六年（八一五）には、多くの妃を超えて、皇后に冊立《さくりつ》された。そういう意味で、嵯峨の山院は、お二人にとって、風光明媚な別荘というより以上の、深い想い出につながる土地であったに相違ない。大沢の池の周辺を、手をとり合って散策し、恋を語ったこともしばしばあったであろう。皇后の容姿を、美しい「嵯峨菊」にたとえて、賞讃されたこともなかったとはいえまい。離宮が建つ以前は、橘氏の領地であったことを思うと、嘉智子の存在を無視して、大沢の池を語ることはできないのである。

嵯峨天皇は、当代一流の文化人であった。経史に広く通じ、弘法大師、橘逸勢《はやなり》と並んで、日本三筆の一人に数えられたことは有名である。当時は中国文化が流行した時代であったから、大沢の池も中国の洞庭湖を模して造られたといい、一名「庭湖」とも呼ばれている。そこには文人墨客が集まって、たえず詩歌の宴が催された。『文華秀麗集』には、次の御製がのっており、格調の高い調べをもって、のどかな山荘の風景を謳いあげている。

　気《き》序《じょ》今し春老いむとし
　嵯峨山院暖光遅し
　峯雲《ほううん》不覚《ゆくり》かに梁棟《りゃうとう》を侵し
　渓水尋《つね》常に簾帷《れんゐ》に対《む》かふ
　莓苔《ばいたい》踏破す年を経し髪
　楊柳未だ懸《か》けず月をのぶる眉
　此の地幽閑にして人事少《まば》らなり
　只のこす風そよぎて暮猿悲ぶのみ

「春日嵯峨院、探りて遅《ち》の字を得たり」という題があって、各自が漢詩の韻を定めた時、天皇には「遅」の字が当った。その韻を踏んで作った、という意味である。現代語に訳してみると、こういうことになる。

　時節は今や春たけなわの頃
　嵯峨の山院は、暖い日光に物うげに包まれている。
　峯の雲は知らず〳〵のうちに宮の内にたちこめ
　谷の水はたえず几帳に向って流れて来る。

草の芽は去年《こぞ》の苔の中から生き生きと萌えはじめたが
川柳はまだ美しい葉を開いてはいない。

ここはあくまでも静かで、世間の俗事に患わされることもない。

ただ聞えるのは、風のそよぐ音と、夕暮の猿が悲しげに鳴く声のみである。

まことに「遅」の字にふさわしい駘蕩とした調べであるが、「莓苔踏破経年髪、楊柳未懸伸月眉」の対句は、美しい皇后の容姿を暗に讃えているのではあるまいか。見ようによっては、この詩全体が、女盛りの嫋々とした風情を形容したようにも思われる。嵯峨天皇の心の中で、嘉智子と山院は切り離せない存在と化しており、常に二重写しの映像となって、愛情をそそがれたのであろう。弘仁十四年（八二三）、位を淳和天皇に譲られた後は、この地に閑居され、皇后とともに嵯峨の風光にひたって、晩年をすごされたという。すぐ隣の清涼寺には、皇子の源融の「棲霞観」があり、その先の方、現在天龍寺が建っているあたりに、皇后の創建による「檀林寺」があった。嵯峨の周辺は、いわば天皇の一族によって占められていたといってよい。「嵯峨天皇」と追号されたのは当然のことで、皇后も崩御になった後は、「檀林皇后」と呼ばれ、その名を長く讃えられるに至った。

嵯峨天皇の御陵は、大覚寺の北方、御廟山の山頂にあり、そこからは嵯峨野の全景が、一望のもとに見渡される。檀林皇后の陵墓も、近くにある筈だと思い、先年私は探しに行ったことがあるが、「深谷山《ふかだにやま》」と聞くのみで、誰にたずねても知っている人はいない。疲れはてて、愛宕《おたぎ》の麓の平野屋で休んでいた時、ふとおかみさんに聞いてみると、何のことはない、その店の山つづきであった。おかげで私はお参りすることを得たという次第だが、そういう風にして探しあてた所は、ことさら印象に深い。

念のため記しておくと、檀林皇后の御陵は、愛宕の一の鳥居から、水尾へ行く道を、三百メートルほど登った右側にあり、天皇陵と東西に相対して、森林にかこまれた幽邃の境にある。私がお墓に興味をもつのを笑う友達もいるが、人生の終りの果ての奥津城《おくつき》には、何かその人の生涯を語るような雰囲気がある。古代の天皇の場合は（かりにそれが不確かなものであるにせよ）、時代の精神が横溢しており、歴史を想ってみるにはこの上もない場所だと私は信じている。

特に嵯峨天皇の山陵は、曼陀羅山をさしはさんで、檀林皇后陵と東西に相対し、嵯峨野を見おろす位置にあって、文字どおり一つの壮大な曼陀羅を形づくっている。曼陀羅山の名の起こりは、弘法大師が愛宕の地で、両界曼陀羅を造った時、化野《あだしの》を金剛界に、この山を胎蔵界になぞらえたという伝説に基づいており、大師が天皇と親密な間柄にあったことを思うと、いよいよその感を深めずにはいられない。お盆の夜は、「大文字山」と同じように、そこに「鳥居」の送り火がかがやく。その時私は、天皇の亡霊が、一族の人々を引き連れて、なつかしい嵯峨野へ還って来るのを見る。それらの山々を、千年の長きにわたって、水のおもてに映している大沢の池は、正に歴史の鏡といっても過言ではないと思う。

先日おとずれた時は、梅雨のさ中であった。時雨と同じように、京都の五月雨には、一種独特の味わいがある。元から湿気の多いところだから、特にじめじめした不快感はなく、明るく細い雨足が、音もなく降りそそぐ気配は、むしろ爽やかな感じさえ与える。

大覚寺の門前は、人だかりがしていたので、私は横の入口から、大沢の池へ直接行った。そこには人影もなく、池のふちにそって、左の方へ廻って行くと、おなじみの石仏群が並んでいる。これらの仏達は、いつ頃誰のために造られたか、何もわかってはいない。時代は鎌倉と推定されているが、厚肉彫りのしっかりした彫刻は、藤原といわれても私は信じるであろう。昔は草むらの中に埋もれていたのが、今はきれいな竹垣をめぐらし、雨にぬれた石の肌が、ほのぼのと香るが如く煙っている。石仏を見るのは、雨の日にかぎると思った。

そこから先は、次第に樹木が多くなり、紅葉の間を傘をすぼめて行くと、弁天島があり、つづいて、先に記した菊島に至る。つい五、六年前までは、池のそばまで畑であったのに、道もととのい、立札などが立っているのは、観光客がふえたからだろう。このあたりまで来ると、嵯峨天皇の御陵から、遍照寺山へかけてのなだらかな山なみが、ま近にせまって来て、水鏡に映っている風景は、さながら絵巻物を繰るような心地がする。形式は中国の庭園を模したかも知れないが、心はあくまでも大和絵のもので、動いているのはこちらなのか、それとも向うの景色なのか、判然としなくなって来る。

大沢の池の玉藻のみがくれに
蛙《かはづ》なくなり五月雨のころ

西行法師がここをおとずれたのも、今日のように縹渺《ひょうびょう》とした夕暮ではなかったであろうか。彼は出家した後、しばらく嵯峨野に隠棲していたから、この辺は毎日のように散策したに違いない。もう一つ、こんな歌も遺している。

庭の岩にめ立つる人もなからまし
かどある様《さま》に立しおかねば

そういわれてみると、昔の遺構らしい石組が、池の中にも、島の木陰にも、ひそかに立っていることに気がつく。いずれも「かどあるさま」（仰々しい形）にではなく、極く自然な姿に立ててあるのが、詩人の心に叶ったのであろう。それは西行自身の生きかたでもあった。嵯峨天皇の死後、園庭は直ちに荒廃したというから、鎌倉時代には、今より以上に寂れた趣を呈していたかも知れない。彼はそこに立って、ひねもす蛙の声に耳を澄まし、「庭の岩」に己が姿を映しつつ、越しかた行末に思いをめぐらしたのではあるまいか。表には立たずとも、西行もまた大沢の池にとって、忘れることのできない人物の一人だと思う。

いつしか私は、池の対岸に廻っており、そこに「名古曾《なこそ》の滝跡」と記した大きな石標があることに気がついた。昔はたしかなかったのに、これも観光のお蔭であろうか。私は藪の中に入って、心当りのところを探してみたが、どうしても見つからない。立札がない時はあって、ある時はないのはどうしたことか。私はずぶぬれになったまま、石標のもとにたたずんで、古い記憶をたどってみた。

あれはかれこれ二十年も前のことだった。清水宏さんという映画監督が、大覚寺の東に家を新築した。そこへ招ばれて行った時、「名こその滝」の所在地を知り、帰りに一人でたずねたのである。小川にそって、北の方から下って来たので、滝はわけなく見つかった。滝といっても、水は流れていず、藪の中にわずかに古い石組が残っていたにすぎない。専門家の話によると、三尊仏を模した見事な石組だというが、当時の私は、石には興味がなかったので、大した感興も湧かなかった。私が興味をもったのは、赤染衛門《あかぞめえもん》や藤原《ふじわらの》公任《きんとう》、下っては西行法師までが、ここで歌を詠んでいることだった。

　あせにけり今だにかかる滝つせを
　　はやくぞ人は見るべかりける　　赤染衛門

　滝の音は絶えて久しくなりぬれど
　　名こそ流れてなほきこえけれ　　藤原公任

公任の歌はあまりにも有名で、「名こその滝」の名称も、そこから起ったといわれている。彼は大覚寺をおとずれた時、「古き滝」を見に行って、この歌を作った、と詞書にある。赤染衛門と公任は、同時代の人間で（前者の方がいくらか年上であったようだが）、わずかの間に滝は名のみとなっていたことがわかる。まして、西行の時代には、「昔」というも愚かなほどの荒廃ぶりであったらしい。

大覚寺の滝殿の石ども閑院へはなたれて、跡なくなりたるときて見にまかりて、赤染衛門の今だにかかりとよみけんおり、思ひ出られて、

今だにもかかりといひし滝つせの
その折までは昔なりけり

この詞書にもあるとおり、大部分の石が閑院へ持ち去られたのは惜しいことだが、三尊石だけ辛うじて遺ったのは、まだしも幸いとせねばならない。おそらくそれは石に対する信仰が、手をつけることをはばんだのであろう。それにしても、今度の旅行で、見つからないのは残念であった。雨の中で、探しにくかったせいもあるが、稀にはそういうこともあっていい。あまりくまなく見つくしたのでは、この次の楽しみがなくなってしまう。

嵯峨の山院は、弘仁のはじめ頃から、承和へかけて完成したようである。大沢の池も今よりはるかに大きく、建築はその北方の山の麓に、甍《いらか》を並べて建っていたというから、想像を絶する壮観であったろう。それもつかの間の幻で、山院も棲霞観も檀林寺も、跡かたもなく消えてしまったのは、栄枯盛衰の習いとはいいながら、私には極めて象徴的な事件のように思われる。ひと口に言えば、藤原氏の勢力の前に、橘氏は屈したのである。橘氏

のために、檀林皇后は、一時的に咲いた名花であり、以後、皇后に立つ女性はいなかった。

だが、そういっては嘘になる。檀林皇后が生んだ正子内親王は、淳和天皇の皇后になったが、承和七年（八四〇）淳和天皇が崩御になると、つづいて父帝にも死に別れ、その後は悲惨な運命をたどることになった。藤原氏の陰謀により、皇太子の恒貞親王が、一族の橘逸勢らと、謀反に加担したという名目のもとに、廃されるに至ったからである。

恒貞親王は、仏道に入り、恒寂《ごうじゃく》法親王と名を改め、母后も落飾して、嵯峨院で余生を送った。そして、貞観十八年（八七六）に、山院の一部に寺を造り、親王を開祖として、父帝の跡を弔った、これが大覚寺のはじまりである。

大沢の池から望むと、南側の畑の中に、由緒ありげな一基の古墳が建っている。「円山塚」と称し、正子内親王の陵墓と伝えるが、大覚寺を見守る位置に、鬱然とそびえるその円墳は、一生の大部分をここで送った悲運の皇后の、つきせぬ思いを語るかのようだ。私は一度上まで登ってみたことがあるが、石棺はなくて、大きな穴が口をあけていた。今もおそらくそのままであろう。

折々の記

高山寺慕情

明恵《みようえ》上人は、鎌倉時代に、栂尾《とがのお》の高山寺を開いた名僧である。今年（昭和五十六年）は七百五十年忌に当るので、高山寺では盛大な法要がいとなまれ、京都の博物館では、上人にゆかりのある宝物の数々が展示される。有名な「鳥獣戯画」や「華厳縁起絵巻」をはじめとし、持仏の「仏眼仏母像」、自筆の「夢の記」や書簡など枚挙にいとまもないが、中でも「明恵上人樹上座禅像」はみごとなもので、自然の中に没入し切った人間の美しい姿を描いている。そのほか、生前愛した石とか道具とか、犬の彫刻とか、上人の生活が身近に感じられるものばかりで、そういう点でも、この度の展覧会は、ふつうの美術展や秘宝展とは、いささか趣が違うのである。

なぜ違うか。それは他ならぬ明恵自身が、ふつうの高僧とは違っていたからである。彼は一宗一派をたてることにも、弟子をつくることにも、偉い坊さんになることにも、まったく興味を示さなかった。自分は壮年のころから「師に辞し衆に違して思を山林に懸く」といっており、釈迦がかつてそうしたように、一人で山の中に入って修行することを望んでいた。その山林にも坊さんが集まるとたちまち汚れた。

山寺も法師くさくはゐたからず
心きよくはくそふくなりと

そんな歌も詠んでいるが、「くそふくなりと」は、たとえ便所掃除をしても、心が浄く澄んでいれば、法師くさい山寺に住むよりはいい、といっているのであろう。そういう意味では、高山寺も、けっして理想的な住処《すみか》ではなかったが、世を厭《いと》えば厭うほどかえって信者は集まるもので、自分に対して厳しい明恵は、自分を慕って来る人々には優しく、ついに捨て去ることはできなかった。今、高山寺に多くの遺品が残っているのも、いかに彼らが明恵上人を愛し、敬ったか、その真情の現れに他ならず、それらを通じて、現代の我々にも明恵の魅力は伝わって来るのである。

彼はお寺が騒がしくなると、いつも裏山の楞伽山《りょうがせん》へ逃げて行った。「この山中に面の一尺とあらんほどの石に、予が座せぬはよもあらじ」といっているが、前述の「座禅像」はその姿を写したものである。その姿が私には、菩提樹の下で成道したお釈迦さまのように見えてならない。明恵上人は、華厳宗にも、真言密教にも、禅宗にも通じていたが、ほんとうに信じていたのは、仏教の宗派ではなく、その源にある釈迦という人間ではなかったか。これは大変乱暴ないい方だが、印度へ行くことを計画したり、高山寺の裏山に釈迦の遺跡を造ったり、仏足石（釈迦の足形を刻んだ石）を建てたりしているのをみると、どうもそうとしか思えない。

若いころは故郷の紀州へ度々帰って修行していたが、印度行をくわだてたのも紀州にいた時で、三蔵法師の旅行記をもとに、中国の長安から、天竺の王舎城まで、こまかい日程表を作成し、荷物までととのえた。それはついに実現しなかったが、紀州の海が印度洋へつづいていることを懐かしく思い、そこで拾って来た石を、肌身離さず大切にしていたのは有名な話である。

　　われさりてのちにしのばん人なくば
　　　飛びてかへりね高島の石

楕円形の美しい黒い石に、一本白い線が通っており、そこに上人の筆の跡が、今もかすかに残っているのを見る時、私たちは不思議な思いに打たれずにはいられない。十数年前に私は『明恵上人』の本を書き、そういうものを手に取って見せて頂く機会を得た。その後も高山寺にはひと方ならぬお世話になっている。だからこの度の法会には、喜んで参列するつもりでいたし、展覧会を見ることも愉しみにしていた。ちょうど京都にほかの取材もあったので、都合がよかったが、明恵上人のことを考えている間に、大勢の人々に会って挨拶なんかするのがいやになった。で、一人でお参りに行き、昨夜東京へ帰って来た。まことに申しわけのないことである。

だが、一人でお参りしてよかったと今では思っている。夕暮れの高山寺は静寂そのもので、もみじの新緑が目にしみるように美しく、遠くの方で梟が啼いていた。庫裏でお茶を頂いた後、私は「開山堂」に参詣し、持参した大山れんげとあやめの花を仏前に供えた。そこから少し登ったところの、上人のお墓にもお参りした。それだけで帰るのはしのびなくて、楞伽山へも登ってみた。以前には道がなくて難儀をしたが、今は杣道《そまみち》が通っており、上人が座禅をした遺跡のあたりには、しゃがの花が咲き乱れ、鎌倉時代の美しい石標が建っている。何もかも昔のままだ。高山寺の一木一草にも、明恵上人の魂は生きている。そう見定めて、私は山を下り、記念のために、渓流の中で小さな石を一つ拾って帰った。夜目にも白く光るきれいな石で、今その石を机の前に据えて、原稿を書いている。一夜づけの原稿は不満だが、たとえしばしの間でも、明恵上人と再会したことは幸せであったと思いつつ、筆を置くことにする。そういえば、今日は五月十八日、今ごろは高山寺で華やかなお祭りが行われていることだろう。

木母寺今昔

　桜にはまだ早い三月中旬のことだった。取材する必要があったので、何十年ぶりかで私は、向島の木母寺《もくぼ》をおとずれた。木母寺は、謡曲「隅田川」の舞台になったところで、古くは梅若寺といった。お能の梅若家とは、直接関係はないけれども、戦前までは、梅若の舞台が既橋にあり、長命寺《ちょうみょうじ》の桜餅や、言問《こととい》団子などとともに、私にとってはなつかしいお寺である。ことに三月十五日の梅若忌に、既橋の舞台で、「隅田川」の能が演じられると、奇妙に実感がせまって来て、亡き子をたずねて都から下って来た母親の嘆きが、身にしみて悲しく思われるのであった。

　そうしたある日のこと、私の母がお能見物の帰りに、はじめて木母寺へ連れて行ってくれた。お寺はさびれていたが、梅若丸の塚と、謡曲にもある「しるしの柳」が、川風にゆれていたのが印象に残っている。それは私がまだ小学生の頃で、その後、震災と戦災に見舞われて、向島は縁遠いところとなった。木母寺のあたりはどう変っているか、梅若塚は今でも健在であろうか、それを確めに行くことが、今回の取材の目的であった。

　日曜日をえらんだので、東京の街はすいていた。久しぶりに白鬚橋を渡って、向島へ着く。隅田川ぞいに高速道路ができたので、昔の面影はまったくないが、土手の桜並木がみごとに成長しているのは嬉しかった。まず長命寺で桜餅を買い、堤にそって行くと、間もなく木母寺に至る。境内には、梅若塚も柳も残っていたが、ブルドーザが入って整地をしているらしい。近所の人に聞くと、地震の際の避難所になるとかで、お寺は北側へ移っているという。教えられた所へ行ってみると、マンションかと見紛うほどの近代建築が建っており、梅若丸を祀ったお堂も、ガラス張りの覆堂の中におさまっている。あまりの変りかたに私はあっけにとられた。

ちょうど住職も御在宅で、こういうことになった次第を話して下さった。何度も東京都と交渉を重ねたこと、なるべくなら元の状態で残しておきたかったこと、等等。たしかに木母寺は昔のままでは滅亡の一途を辿ったに違いない。お寺のためには喜ぶべきことだが、こんなきらびやかな殿堂では、「隅田川」の哀話を偲ぶべくもない。ただ幸いなことに、寺の旧跡地は公園として保存され、梅若塚も現状のままで残しておくことにきまったという。なまじさびれたお堂が建っているよりは、自然の樹木にかこまれていた方が、古い墓らしくていいかも知れない。向島の桜が復活したのをみても、この土地の人々は、そうおろそかには扱わないだろうと思った。

お寺には、謡曲より今少しくわしい梅若丸の伝記が残っていた。それによると、村上天皇の時代の出来事で、梅若丸は五歳の時、父の吉田少将惟房と死に別れ、八歳で比叡山に入った。十二歳の頃には奇童のほまれ高く、特に和歌には秀でていたので、人の嫉妬を買い、殺されそうになったため、山を降りて大津へ逃れた。そこで人買いの信夫藤太にかどわかされて、東国へ下ることとなる。それから後は、お能や歌舞伎と同じ筋書だが、死後、幽霊になって現れるのは、勿論ドラマのフィクションである。

それにしても、才智にすぐれていたために、殺されそうになるとは大げさにすぎる。これはどうみても美しい稚児を奪い合った恋愛沙汰が原因で、当時の寺院には、そういう物語が多いのである。稚児ケ池とか、稚児ケ淵という名称も、騒動のもとになった少年が、悩んだ末に身を投げたという言い伝えがあり、梅若丸の塚も、多くの稚児塚の一つに違いない。それは日本に古くから伝わる「貴種流離譚」とも、また宗教的な「稚児信仰」にもつながる伝統的な思想であって、能の芸術もその流れをひいている。先程私は、梅若丸と梅若家は、何の関係もないといったが、梅若ははじめ梅津といい、その何代目かの少年が、後土御門天皇の前で能を演じ、御感のあまり「梅若」の名を賜った。稚児を主人公にした物語に、梅若の名が多いのに因《ちな》んだのであろうが、それは既に才能のある美少年の代名詞となっていたかもわからない。その時以来梅津は梅若に変って、現在に至っている。

また、木母寺という一風変った名前は、慶長十二年に、近衛関白信尹《のぶただ》が、梅若寺をおとずれた時、梅の古字（楳）を二つにわけて、「木母」と命名したことによる。実は古字だかどうか、はっきりしないのであるが、京都の栂尾でも、昔は梅の字を当ててトガと訓ませていたから、どちらにも通用したのかも知れない、いずれにしても、悲劇の母親を哀れんで、木へんに母の字を当てたに違いないが、私には「木母」より、梅若寺という古名の方が、なつかしくもあり、美しいように思われる。

平等院の雲中供養仏

宇治の平等院は、永承七年（一〇五二）、藤原頼通によって建立された。翌天喜元年に、定朝作の阿弥陀如来が、阿弥陀堂の中に安置され、これが後に鳳凰堂と呼ばれるようになった。宇治川の東岸の、朝日山に向って建ち、あたかも鳳凰が翼をひろげて、飛び立たんとする風情に造られている。

建築も軽やかで美しいが、内部の装飾も、藤原文化の粋を集めている。金色にかがやく本尊を中心に、天井から柱、長押《なげし》の末に至るまで、宝相華文《ほうぞうげもん》の彩色がほどこされ、扉にも壁にも阿弥陀浄土の風景が描かれた。「極楽いぶかしくは、宇治のみ寺をうやまへ」と、当時のわらべ歌にも謳《うた》われたように、それは藤原貴族が夢みた極楽世界そのものであった。中でも魅力があるのは、長押の上の白壁にかかっている五十二体の飛天である。正しくは「雲中供養菩薩像《うんちゅうくようぼさつ》」といい、檜《ひのき》の一木造りの群像で、或いはさまざまの楽器を奏し、或いは蓮華や宝珠をささげ、雲に乗って舞ったり歌ったりしている。創建当時は、華やかに彩られていたらしいが、今は漆も彩色も剥落《はくらく》して、美しい木目の生地を現しているのが却って趣がある。

鳳凰堂は、四月から五月へかけて、朝日がのぼる時刻が一番美しい、と教えて下さったのは奈良飛鳥園《あすかえん》の小川光三さんであった。以来、私は何度も通いつづけたが、いつも霞《かすみ》がかかったり、雲が出たりして、なかなか日の出に出会うことは難しかった。ついに半年ほど通いつめた後、私は鳳凰堂が、というより、西方浄土が、あけぼのの寂光の中に、ゆらめきながら現れるのを見た。朝日がのぼるにつれ、池水に反射して、お堂の隅々まで照らし出して行く。本尊は台座のあたりから、次第に上の方へと目ざめて行き、やがて、全身をあらわにした。周囲の白壁には、金色のさざ波が立ち、天女がかなでる音楽は、あたりの山々にこだまするようであった。その時私は、鳳凰堂が、この瞬間のために造られていることを知った。そして、お寺や仏像は、それを眺めるにもっとも適した季節と時間があることを、今さらのように悟ったのである。

日吉神社の十一面観音像

岐阜県安八郡《あんぱちぐん》神戸《ごうど》というところに、日吉神社がある。近江の日吉大社のわかれで、揖斐川のほとりに建ち、周囲は見渡すかぎり肥沃な平野がひらけている。平安朝のはじめ頃、ここに安八《あはち》太夫安次《やすつぐ》という豪族がおり、弘仁八年（八一七）、比叡山から伝教大師を招聘して、日吉山王権現を勧請したと伝え、明治の頃までは「小比叡神社」と呼んでいた。そういう由緒のある神社のことだから、広い地域を領し、境内には多くの末社や寺院が建っていた。が、明治の神仏分離令によって、或いは消滅し、或いは独立して、現在はささやかな社殿が、白々とした境内に、昔の名残をとどめているにすぎない。その社殿の中には、付近の神社仏閣から移された神像が、数十体も集まっており、かつての壮観を偲《しの》ばせている。

その一つに、美しい木彫の十一面観音がある。重要文化財などという、いかめしい称号には、およそ似つかわしくない可憐な仏さまで、大きさも、三十センチほどである。正確に計ったわけではないから、実際にはもっと小さいかも知れないが、今この世に生をうけたといったようなうぶなお姿で、胡粉《ごふん》や朱の彩色も程よく残っている。

十一面観音は、頭《かしら》に慈悲、忿怒、嘲笑を表わす面を、それぞれ三つずつ頂き、その上に如来相を頂くのがふつうの形式であるが、この観音さまの場合は、恐ろしい瞋面も、気味のわるい笑面も、わずかにそれと知れる程度に省略してあり、お人形かこけしを想わせるようにあどけない。お人形も、こけしも、元はといえば神像の一種であったから、信仰の対象となったとしても不思議ではないが、十一面観音自身も、仏像というより神像の感じに近い。一つには木彫であることと、坐像の形をとっているのが、そういう印象を与えるのであろうが、大和や京都の本格的な仏師の手になったものではなく、たとえば諸国を旅して歩く木地師といったような人々、もしくは後世の木喰《もくじき》上人や円空の祖先のような聖が、たまたま美濃を通った際に、遺していった作品ではあるまいか。れっきとした寺の本尊というのではなくて、いかにも親しみやすい、そこはかとない感じを与えるのが、この観音さまの魅力である。近江や美濃を歩いていると、似たような仏像（または神像）に出会うのは、都風な仏教彫刻の裏側に、民俗的な山岳信仰の流れがひそかに存在したことを物語っている。

信州小諸の布引観音

昔、千曲川のほとりに、無信心で欲の深い老婆がいた。川で洗濯をしている時、一匹の牛が現れて、角に布をひっかけて走り去ったので、追いかけて行くと、善光寺の中へ消えて行った。老婆は忽然と信仰にめざめ、家へ帰ってみると、目の前の山の断崖にその布がかかっていたという。

これが「牛に引かれて善光寺参り」の諺の起りである。布がかかっていた山の名を「布引」といい、断崖絶壁の上に、釈尊寺という寺が建っている。一般には「布引観音」として知られているが、寺の縁起は、土地に伝わる話とはちょっと変わっており、牛の角にひっかかった布が、突風に吹かれて、山のてっぺんに運ばれて行った。老婆はそれを追いかけて行ったまま、山の石と化したので、哀れんだ村の人々が、祠を建てて祀ったと伝えている。

おそらく土地の伝説は、善光寺信仰が盛んになった後、附会された説話であり、寺の縁起の方が、はるかに素朴で、自然に聞える。が、「布引」の名は、それよりもっと古く、千曲川河畔の集塊岩が露出して、白い布をかけたように見えることから起ったのであろう。天平二十年（七四八）、行基の草創というから（その真偽は別にしても）、山岳信仰の行場であったことは確かである。

「牛にひかれて……」ではないが、この夏軽井沢にいた時、私はタクシーの運転手に教えられて、布引山へお参りに行った。小諸の町はずれから、千曲川を渡って少し行くと、いきなり目の前に、突兀《とっこつ》とした岩山が現れる。白い石が光っているので、すぐそれとわかった。あんな所へ登れるかしらと、あやぶみながら車を降り、山道へかかったが、案ずるより生むは易しで、十五分ほどで山腹にある観音堂へ辿りついた。が、ぜんぜん楽だったといえば嘘になる。岩を切りひらいた参道は急で、険しく、特に山頂への道は、這って登るような所もある。山歩きには馴れているのと、景色が美しいので、苦にならなかったのだろう。途中に、由ありげな洞窟や石仏が建っていることも、私の興味をひいた。その一つに、老婆を模したと思われる「山姥」のような石像もあった。

断崖の岩の裂け目に、辛じて建つ懸崖造りの観音堂は、造化の不思議と、信仰のきびしさを、おのずから示しているように見えた。そこからの眺めは、聞きしにまさる絶景だった。るいるいと重なる巨巌の間に、紫に霞む浅間山が望まれ、下の方を千曲川が流れて行く。その広大な風景は、太古の自然信仰から、日本の仏教が生れて行く歴史を、無言のうちに語るようであった。観音さまが、岩の中から湧出するという話は、けっして架空の物語ではない。私たちの祖先が、何百年も、いや何千年もの間、山と語り、石とつき合ったはてに生れた現実の思想である。そして思想とは、頭で考えるものではなく、眼に見える一つの形であることを、こういう景色にふれると、納得せずにはいられなくなる。

観音堂には、十一面観音が祀ってあるが、秘仏なので、拝観することはできなかった。が、こんな絶景に出会えば、仏さまは拝んでも拝まなくても大差はない。山頂の展望台へよじ登った後、私は満ちたりた思いで、布引山を下った。下ってみると、参道の入口で、大勢人が集ってさわいでいる。麓のところで長年掘りつづけていた温泉が、たった今噴出したのだという。大きなボーリングの機械の中から、盛んに湯煙が上っている。やはり布引観音は霊験あらたかな仏さまなのだ。岩の中から湧出したのだと、神秘的な感動にひたりながら私は帰ったが……この次行った時は、あの幽邃な環境に、温泉ホテルが立ちならんでいるのではないかと、それがいささか心配になる。

回峰行の魅力

私が比叡山の回峰行を取材したのは、今から五、六年前のことである。頼まれて取材したのではなく、ときどき京都の市中や、比叡の山奥で、黙々と歩いている白衣の行者の姿に、異様な感銘をうけたからである。いったい彼らは山の中で、どんな修行をし、どんなことを感じているのだろう。それは単なる好奇心というより、この忙しい世の中で、浮世を離れて修行に没入している人々に、深い憧憬と羨望をおぼえたためにほかならない。ここにはたしかに何かがある。何、と口ではいえないかも知れないが、私たちに欠けているもの、私たちが失ったものが秘められているに違いない。

今、若い人たちの間に、回峰行に興味を持つものが多いと聞くが、彼らが感じていることも、ほぼ私が考えたことと同じではあるまいか。だが、外から眺めて感動したり、あこがれたりするだけでは、何事もはじまるまい。そこで、私は伝手《つて》を求めて、まず行者道を歩いてみることにした。歩くといっても、女の身では、夜の山道を三十キロも毎晩こなすことはむずかしい。それに、行者たちは飛ぶように早い。地理と順序を覚えるだけで、足かけ二年はかかった。

簡単に記しておくと、回峰行者は毎年春から夏へかけて、比叡の山中を毎日三十キロ歩く。午前二時に出発して、東塔、西塔、横川、日吉神社などをめぐり、八時ごろに終了するが、それを百日つづけ、千日をもって満行となる。そのほか、京都市中を歩く「切廻り」、「大廻り」、「断食行」等々、言語に絶する苦行の数々を経るが、それによって得るものは何一つない。天台宗の座主になるわけでもなく、大僧正の位に昇ることもできない。およそ世俗的な欲をすべて断つところに、何物にもとらわれぬ自由な世界がひらける。それは「仏」と名づけても、「光明」と呼んでも、「悟り」といっても間違ってはいないと思う。私と親しくつき合って下さった行者さんは、こういわれた。

「目的なんかあって、こんな苦しい行ができるものですか」

と。生きる目的を持たない若い者が、自殺をしたりノイローゼになったりする今日、この言葉は私たちの眼を開かせてくれる。外に目的を求めるから、人間は悩むのであって、要するにそれは世間に甘えていることにすぎない。自己に還ること、赤裸々の自分自身の姿と対面すること——それだけのために彼らは修行に専心する。中でも「断食行」は苛酷なもので、九日の間、不眠不休でお堂の中にこもる。むろん食物もとらなければ、水を飲むことも許されない。しまいには身体が冷たくなり、瞳孔も開き切って、死人に近い状態となるが、文字どおり生死の境を体験することによって、彼らは生死の世界を超越する。もっともそういうことは、最初の百日回峰からくり返し体験させられたものであり、修行が深まるにつれて、何物にも動じない「不動」の精神を身につけて行く。私とつき合って下さった阿闍梨（行者の師匠）の光永澄道師に、『ただの人となれ』という本がある。これは回峰行を知る上に、絶好の著書で、その中に面白い一節がある。

ある日、光永さんは比叡山で、数人の学生たちと出会った。その中の一人がすれ違いざまに、「坊主まる儲けやなあ」と罵声をあびせかけて来た。そんなことに動ずる光永さんではない。笑いながら「お説のとおり、坊主はいいぞ。……いっちょう、やってみるか」と切りかえすと、学生たちは逃げだしてしまったという。

何でもないことである。が、何でもないことがいえる人が、世の中に何と少ないことだろう。「ただの人となれ」という題はそこから出ている。禅宗の言葉に、「悟り悟りては未《み》悟《ご》に同じ」というのがあるが、ただの人になれないような坊さんも、俗人も、「人間」のうちに入らない。回峰行について、私はほんの少し垣間見た程度だが、そういうことを身をもって知らされた。彼らはプロの修行者だから、肉体を酷使して解脱を得るが、道は一つではないことを、目に物見せて教えられたと思う。

回峰行について

今年のお正月ごろであったか、NHKテレビで、「行」という番組があった。比叡山で行われている山岳修行の一つで、正しくは「回峰行」といい、その名のとおり、行者が

つづける。

これを一名「堂入《どういり》」とも呼び、本尊の不動明王の前で、九日間不眠不休で読経をに入る。四年目からは二百日となり、七百日（五年）が済んだその夜から「断食行」つづけるが、峯々を廻って歩く。はじめは三十数キロの行者道を、午前二時から明け方まで百日間歩き

テレビでは、けわしい山道を、阿修羅《あしゅら》のごとく走って歩く回峰から、堂入を終了するまでのきびしい行を、数ヵ月にわたって克明に映してみせたが、およそそうしたものとは無関係な若い人たちまで、感動しないものはいなかった。特に感銘をうけたのは、断食行に入るまでは、元気のよかった坊さんが、終った時には憔悴しきって、人々に支えられて出堂する場面であった。九日間の断食といえば、人間にとって極限の苦行である。生死の境を超えて復活した人間は、もはや前と同じ人間ではない、肉体とともにもろもろの欲情は克服され、仏と一体になる。或いは大自然と同化するといってもいい。実際にも、出堂した時の坊さんは、神々しいまで崇高な姿をしており、まわりに集まった人々は、思わず手を合せて拝んでいた。私も、もしその場に居合せたら、きっとそうしたに違いない。その坊さんは、たしか酒井雄哉師といわれたが（間違ったらお許し下さい）、行が終ったあとで、話されたことも印象に残っている。

「自分はいつ死んでも構わないと思っている。死んで、土に還って、山の木や草を肥やし、ついには水となって琵琶湖へ流れて行き、京都や大阪の人々をうるおせば本望であ

る」

と。別に書きとめたわけではないので、その言葉どおりではないかも知れないが、大体はそういう意味のことであった。何という無欲な、美しい心境ではないか。酒井さんがこのような行を志したのは、いろいろ複雑な事情があったらしいが、「自分は無力なものだから、世間の人たちに何もしてあげられない。ただ多くの人々にかわって苦行をし、一心に祈るだけだ」ともいわれた。

私は十数年前から回峰行に興味を持ち、何回も書いたことがある。行者さんの後についで、行者道を歩いたこともあった。先にもいったように、彼らは風のように早いので、とても一度ではついて行けず、何日にもわけて廻ったにすぎないが、横川で拝んだ日の出の荘厳な風景、月夜の琵琶湖の神秘的な美しさ、嵐の夜の凄まじい山鳴りの音も、生涯忘れることのできぬ体験であった。叡山といえば、一般には京都の寺のように思われているが、東塔も西塔も横川も近江の側にあり、その源が日吉神社にあることは、事新しく述べるまでもない。天台宗の創始者、伝教大師も、回峰行の祖師、相応和尚《そうおうかしよう》も、近江の出身であるのを思う時、日本の文化のために、近江が果たした功績は大きい。それというのも、美しい自然に恵まれているからで、自然と人間の間には、切っても切れぬつながりがあることを、今さらのように痛感せずにはいられない。

観るということ

十世紀のころ、比叡山に、相応和尚という修行者がいた。南の谷に無動寺を建てて籠っていたが、生身《しょうじん》の不動明王を拝みたいと発心し、三年の間、比叡の山中を放浪していた。雨の日も雪の夜も、たゆまぬ苦行に、身心とも痩せおとろえ、今は死を待つばかりとなったある日のこと、比良山の奥、葛川《かつらがわ》の「三の滝」で祈っていると、滔々たる水しぶきの中に、まがうかたなき不動明王が出現した。相応はうれしさのあまり、滝壺に身を躍らせて抱きつくと、不動と見たのは一片の桂の古木であった。その古木をもって、拝んだばかりの不動明王の姿を彫刻し、明王堂を建立して本尊とした。それが今に遺る葛川の明王院である。

この相応の足跡を忠実に辿っているのが、無動寺を本拠とする回峰の行者たちである。彼らは白い死装束に身をかため、千年の昔に始祖がしたと同じように、一心に不動明王を念じつつ、比叡の山中を巡礼し、最後に比良山の「三の滝」へ到着する。毎年春から夏へかけて、午前二時に無動寺を出発し、行者道を三十キロ歩いて、八時ごろに寺へ帰る。それを百日つづけて、千日をもって満行となるが、そのほか京都市中の「切廻《きりまわ》り」(約五十キロ)、「大廻り」(約八十キロ)、「断食行」、そして葛川明王院の「夏安居《げあんご》」など、どれ一つをとってみても、常人には考えられない苦行の数々を経る。それによって得るものは一つもない。しいていうなら、何物にも動じない不動の精神、不動明王の魂を身につけるというべきか。

「目的なんかあって、こんな苦しい行ができるものですか」

私につき合って下さった光永澄道師はそういわれる。生身の不動明王を、まのあたり見るということが、かりに相応和尚の初志であったにしても、それが「目的」であったとは考えられない。現に得たものは、一片の桂の木にすぎなかった。そんな結果よりも、そこに至るまでの過程、——死を賭して放浪をつづけたその辛苦が凝って、滝壺の中の不動明王となって現れたといえよう。相応が桂の木に刻んだのは、他ならぬ彼自身の姿であったのだ。

心を静めて、無念無想の境に入るのが、禅宗の坐禅であるならば、肉体を酷使することによって、無我の境地に導かれるのが、回峰行といえるであろう。禅宗にとっても、自然の環境は大切であるが、回峰行は、創始された時代が古いだけあって、古代の自然信仰の伝統をそのまま受けついでいる。彼らは山を拝み、木を礼拝し、石の前に頭《こうべ》を垂れる。自然が神であり、仏でもあるからだ。道元が坐禅の中に没入したように、四六時中彼らは自然の中で暮らしているが、いつも山の中を歩きつづけるとは限らない。「断食行」の場合は、お堂の中に九日間も、飲まず喰わずで籠る。人間の限度を超えた荒行で、しまいには死人に近い状態になるというが、生死の巷をぎりぎりの境まで体験することによって、彼らは生死の世界を超越する。禅宗の言葉でいえば悟りを開く。

先に記した光永さんに、『ただの人となれ』という著書があるが、その中で「断食行」の体験を実に美しく述べていられる。

——断食をしてお堂に籠っていると、先ず聴覚が異常なほど鋭敏になって来る。不寝番の衣ずれの音、線香の灰が落ちる音などが、ドサッとひびく。中でも野鳥の声は、光永さんの内面に、大きな衝撃を与えた。山を歩いている時は、歩くことに精一杯で、鳥の声は単なる「音」でしかなかった。「七年間も山に在りながら、その妙音を聴き流していたのである。聴くとは正しくこれでなければならない。身内の心が動かされねばならない。……おや、おれが啼いている。そう聴こえたのである。……鳥がチチと啼けば、こちらの胸の内もチチと啼いている。そしてその鳥は、（無動寺の）明王堂の屋根の上には止まらず、比叡の峰々へ飛翔して行くであろう。その時こそ、自由に翔べるのである。鳥が光永であり、光永が鳥であった」

と。自然と一体になった人間の、歓喜の叫びが聞こえるような文章である。その後は鳥が啼く度に、光永さんの魂は、「明王堂を脱け出して、はるかな天空を駆けめぐるのであった。事実、目の前に景色が見えた。山上から鳥瞰した都も見えたし、琵琶湖のかがやきも見えた。それは回峰の行中に実際にこの眼の網膜にうつった実景より、なおあざやかであった」と付記している。

密教でいう「観想」と、禅の「悟り」とは、方法が異なるだけで、その至るところは一つだと私は思う。禅宗の方には、よく鼻緒が切れたとか、つまずいた瞬間に悟ったという逸話があるが、光永さんの場合は、鳥の声によって、身心脱落したのであり、その瞬間「山上から鳥瞰」する眼《まなこ》を獲《か》ち得たのだ。「十二年籠山」と称して、十二年間も山を降りなかった行者さんは、馬車馬みたいに世間見ずかと思えばけっしてそうではない。教えを乞いに来る信者の一人一人に、実に適確な注意を与えている。教えといっても、仏教のそれではなく、ごくふつうの世間的な智恵である。そこに「ただの人となれ」という題も生まれたのであろうが、ついでのことにいっておくと、回峰行の信者たちは、無動寺の檀家ではなくて、それぞれの行者さんについている。行者の生きかた、日常の暮らしぶりを見て、己が人生の鑑《かがみ》としているのであって、ほんとうの信仰とは、そういう個人的なものではないかと私は思っている。

正倉院に憶う

正倉院というと、一般には、東大寺のあの正倉院を指すと思われているが、昔は国衙《こくが》や寺院の主要な倉を「正倉」といい、それが建っている一画を「正倉院」と呼んだ。したがって、律令時代には、日本中のどこの国にでも見られたが、東大寺だけに遺ったので、固有名詞となって現在に至っている。それにしても、正倉の中の正倉が、度重なる地震や風害を逃れて、千二百年の星霜を保ったのは、まったく奇蹟としか思われない。平重衡が東大寺に火を放った時は、奈良の大部分が焦土と化したが、正倉院と転害門《てがい》だけは助かった。このことは、それらの建築が占める位置にもよるのだろう。東大寺の境内は広いけれども、その広い境内の西北の隅にあるのが正倉院と転害門で、冬のさ中のことであったから、風上に当っていた。大切な倉のことで、はじめから大仏殿とは離れたところに、火災のことも考えた上で造られたに相違ない。それでも私が子供の頃聞いた話では、正倉院はいつでも大切にされたわけではなく、徳川末期から明治維新へかけての動乱期には、あの高い床下に乞食が住みつき、平気で焚火などしていたという。しばしば盗賊におそわれたこともあり、長い年月の間には、何度もそういう危機に瀕したことを耳にすると、なおさらありがたいことに思われる。

私の一生の間にも、正倉院にはいくらか変遷があった。今は奈良の博物館で、年に一回催される「正倉院展」で拝観するより他ないが、昔は宮内省にお願いすれば、曝涼《ばくりょう》（虫干し）の期間は、院内へ入れて頂くことができた。戦後しばらくの間は、何かの研究という名目のもとに、わりあい簡単に入れたように記憶している。私も父母や先生方のお供をして、何度か拝観する幸運に恵まれた。当時は美術に関する興味や知識がそうあったわけではなく、文字どおりの「猫に小判」であったが、それでも見事な校倉造りの内部に、一歩足を踏み入れた時の感動は、未だに忘れることができずにいる。大げさにいえば、天平の昔に還って、大仏開眼の荘厳な風景に、目のあたり接する思いがした。

正倉院は、中倉を中心に、南倉と北倉にわかれているが、飾棚が造られたのは明治時代で、それ以前はすべての宝物が唐櫃《からびつ》におさめられていたという。部厚い材を用いた棚の上には、目もくらむような楽器や鏡の類、ガラスその他の宝物が並んでおり、じゅうたんとか厚地の織物などは、十枚も二十枚も重なって、床の上に積んであったことを思い出す。昔のことなので、私の記憶はさだかではないが、美しい「文欟木《ぶんかんぼく》の厨子」、「黒柿の厨子」、「蘭奢待《らんじゃたい》」の香木など、大きなものは床か台の上に置いてあった。蘭奢待は一米半に及ぶ巨大な香木で、正確には「黄熟香《こうじゅくこう》」と呼ぶらしいが、いつの頃か東大寺をかくし文字にして(蘭の門構えの中の東と、奢の冠の大と、待のつくりの寺)、ランジャタイと称するようになったと聞く。

私の母は香道に凝っていたので、門前の小僧なみに私も、この香木の前では長い時間を費した。表面は何の変哲もない茶褐色の木片だが、断面は白くなっていて、足利義政や織田信長などが切った跡が残っている。時代が下るほど、品質の落ちる部分を切っていると、その時母が教えてくれたのは、同じ一本の香木でも、上等の伽羅《きゃら》などがとれるのは、極く限られた一部なのだろう。昔の人々は権力に物をいわせて、心ないことをしたものだが、一片の香木のために、殺し合いまでしたことを思うと、数奇に徹した執心のほども頷けるというものだ。

博物館の「正倉院展」では、毎年一つのテーマのもとに出品されるので、私たち素人にもわかりやすい。が、正倉院の中では目移りがして、何が印象に残ったかと訊かれても、にわかには答えられない。私はまだ若かったから、しいていえば、それはガラスだったかも知れない。私が最後に正倉院を拝観したのは、たぶん昭和二十年代もはじめの頃で、その後、特別な専門家のほかは禁止になった。それから十年ほど経って、私はイランへ行った。正倉院を通じて、ペルシャ文化にあこがれていたからで、いってみればシルクロード・ブームの走りである。あわよくば、正倉院の「白瑠璃碗《はくるりわん》」と同じものを手に入れたいと思っていた。テヘランに着いてすぐ骨董屋へ行ってみると、彼らは既に知っており、覚束ない日本語で、「ショソーインがほしいのか」という。そのショソーインが、次から次へいくつも出て来るのにはびっくりした。全部が全部贋物というわけではなく、たしかにササン朝の作も交っていて、カットやガラスの質も、白瑠璃碗と変るところはない。値段も当時は三万から五万円程度だったが、私は買わずに帰って来た。何といっても発掘品は、伝世のものには遠く及ばないと知ったからである。

このことは、正倉院全体についてもいえることだろう。近頃は中国で盛んに発掘が行われている。その中には、正倉院の宝物より立派なものが無数にあり、またこれからも発見されるに違いない。だが、出土品には、伝世のものの美しさはない。その美しさはまったく異質のもので、昔の人々が、なぜ伝世品を尊んだか、そこには生きた人間の生活があり、生きた人間のぬくもりが伝わって来ることを、正倉院の宝物を見て私は切実に感じるのである。

賀茂のみそぎ

風そよぐならの小川の夕暮は
　みそぎぞ夏のしるしなりけり
藤原家隆

百人一首で名高いこの歌は、毎年六月三十日の夜、京都の上賀茂神社で行われるみそぎの神事を歌ったもので、「水無月祓《みなづきばらえ》」とも、「夏越《なごし》の祭」とも呼ばれている。みそぎとはいうまでもなく、身の罪や汚れだけではなく、来たるべき災害から逃れるために、すべての悪を水に流してしまう呪いの一種であるが、京都の夏は特別暑いので、健康を保つ意味もふくまれていたに違いない。家隆の歌には、宗教的な匂いはまったく感じられないが、さらさらと流れる小川のようなひびきがあり、猛暑を忘れさせる涼しさに満ちている。

今年の夏、その賀茂のみそぎに私は、知人から招待を受けた。ちょうど他の取材のために京都へ行っていたので、帰りがけに上賀茂へ立ちよると、社のまわりには既に人が集まっており、大きな「茅《ち》の輪」が境内に用意されていた。茅の輪は、茅《かや》、竹、藁などで作った大きな輪のことで、水無月祓にこれをくぐると疫病を避けるといわれ、いわばみそぎの前奏曲といったような意味を持つ。お能の「水無月祓」では、シテの狂女が茅の輪をたずさえていて、（それは象徴的な持ちものにすぎないだろうが）、そういう小さなものも昔はなかったとはいい切れない。

その日は小雨が降っていた。現在は新暦の六月三十日に行われるので、梅雨の間のこととて、雨は覚悟の上であったが、やはり古式の祭は旧暦を用いるのが自然であろう。私たちはしきたり通りに茅の輪をくぐり、神殿の横の「楢の小川」の前に座をしめた。暗いのでよくわからないが、上賀茂の町の人々が大部分で、観光客は殆んどいないのが、いかにも土地の祭らしくて気持よい。ややあって白装束の神官たちが、茅の輪をくぐって、白砂をしきつめた参道を、しずしずと入って来た。何やら神前で祝詞をあげているらしい。「楢の小川」は、細くて浅い清らかな流れであるが、源流を神社の背後の「神山《こうやま》」（賀茂山とも書く）に発し、本殿の前を流れて末は賀茂川に入る。賀茂の「御手洗《みたらし》」の川であり、今夜のみそぎの舞台でもある。本殿に向って右手の方には、橋がかかっていて、「楢の小川」はその下を通った後、うねうねと南下するのである。

しばらく経って、神官たちは、橋の欄干のもとに集まってきた。そこで私たちは「おはらい」を受ける。再び祝詞が読みあげられ、神主の一人が高く裾をかかげて、川の中へ入り、かがり火に火をつける。かがり火は三つあって、いずれも水の中に立っており、両側に御幣が十六ずつ並んでいるが、これは何を意味するのかわからない。(この御幣はたぶん摂社・末社を現わしているので、三つのかがり火は、賀茂の三神——御祖《みおや》の神の建角身《たけつぬみ》と、玉依比売《たまよりひめ》と、別雷神《わけいかづちのかみ》を象徴していると解したが、あくまでもそれは私の想像にすぎない)

やがてかがり火が燃えはじめると、周囲の森の緑があざやかに浮び上り、盛んな焔が水に映って、実に美しい風景を現出する。と同時に、神官が欄干の上から人形《ひとがた》を水に流しはじめる。私は書くのを忘れていたが、祭がはじまる前に、参列者は、紙を切った人形《ひとがた》に、自分の名前と年齢を記して神前に供えておいたのである。最初は人間が水に入って、みそぎをしていたのが、いつの頃か人形で代用することになったのであろう。その人形を若い神官が、馴れた手つきで次から次へと流す。きりなくつづくのは、参列者だけではなく、今日のみそぎのために、賀茂の氏子たちから送られて来たのかも知れない。それは雪が舞うように美しく、「みそぎぞ夏のしるしなりけり」の歌そのままの光景であった。

先にもいったように、この祭が旧の水無月の晦日に行われていたならば、いっそう趣きが深かったに違いない。平安朝の賀茂のみそぎが、どのようなものであったか知る由もないが、別雷神は、その名のとおり雷神で、荒ぶる神であったから、舞台装置ははるかに大きく、野趣にとんだ神事ではなかったかと思う。神に対する信仰が薄れた今日、そういうものを望むのは無理な注文だが、地方の神事に比して、演出は巧くなっていても、全体にみてスケールが小さく、雛形化しているのは、公家の影響か、それとも都会に近すぎるためだろうか。たとえ雛形化していようと、賀茂のみそぎは、一瞬私を、平安朝の昔に還してくれたことは事実で、身心ともに浄められたような気分になり、猛暑を迎えても一向に衰えないのは、やはり御利益があったのであろう。

円空の求道心——円空展によせて

先日、取材のために飛驒の高山へ行った時、杓子を作っている職人に会った。今は廃村となった有道《うとう》という山村から出た人で、つい最近まで村全体が杓子の仕事にたずさわっており、「有道杓子」の名で知られている。元を正せば木地師の流れであろうが、生木を鉈《なた》ではつる仕事には、凄まじい気魄が感じられ、故里を失った職人の、悲しい叫びが聞こえるようであった。

その時、私は、ふと円空を想った。円空の彫刻も、鉈ではつっているが、鋸や鉋《かんな》が発明される以前の、原始的な手法をえらんだのは、そういう必然性があったからに違いない。聞くところによれば、彼は十二万体の仏を造ることを念願としたというから、先ず早くできることを必要としたであろうし、自らの信仰の烈しさを表現するためにも、荒々しい鉈彫りが適していたのではないか。そのあるものは殆んど仏の形をしてはいず、風雨にさらされた自然の立木のように見え、あるものは山蔭にうずくまった巌のような姿をしている。現代人は、そこに言語を絶した造型を見、極端にデフォルメされた美を感ずるらしいが、それは近代のオブジェ主義に毒された鑑賞で、円空にとっては無縁のことであったと思う。

この度の展覧会は、「円空―その芸術」と名づけてあり、それに水をさす気は毛頭ないけれども、私にいわせれば彼はけっして芸術家ではない。彫刻家でもない。自分の内的な要求を満たすために、鉈をふるって神仏の姿を刻んだまでのことで、それは毎日のごはんを喰べるように自然な行為であった。その無欲で真摯な姿は、貧しい人々の心を打ち、そこに「円空信仰」ともいうべきものが生まれたが、また一方では、粗末に扱ってかえりみぬ人たちもいた。本来が人に見せるための作品ではなかったから、そんなことはどうでもよかったに違いない。たまたま自作の仏像によって、人が救われればありがたいと思ったであろうが、今日のようなブームを巻き起こすことは、むしろ迷惑に感じたのではあるまいか。実際にも、美濃や飛騨へ行ってみると、円空の土産物や贋物が汎濫し、これにはいささかうんざりする。むろん円空の迫力には遠く及ばないものの、中にはかなりよく出来たものもあって、それ程円空の彫刻は真似がしやすいことを語っている。

真似がしやすい、――それは他ならぬ彼が素人であったからだ。芸術家でも彫刻家でもないといったのはそういう意味で、私は世間の「円空信者」のように、彼の作品を文句なしに美しいとは思っていない。したがって、大した興味も持ってはいなかった。が、ある日、偶然、近江の伊吹村で、太平寺から移されたばかりの十一面観音に出会い、全身からほとばしる不思議な力に圧倒された。そこには技術を超えたものがあった。しいていうなら、それは信仰の形としかいいようがない。この観音さまには長い銘が刻んであり、それを見て私は、彼の彫刻のよって来たる所を知った。

その銘文によると、円空は元禄二年三月四日に、伊吹山で桜を切り、五日に加持祈禱を行なって、六日に作ったとある。開眼供養をしたのは七日であるから、まる一日で等身大の仏像を完成したことになる。なお、銘文には、漢詩と和歌がそえてあり、ここには後者の方をあげておく。

おしなべて　春にあふ身の　草木まで
　　まことに成れる　山桜かな

「草木国土悉皆《しっかい》成仏」（仏の恵みに会えば、心なき草木や国土に至るまで、おしなべて成仏する）という思想を、詩歌に謳ったものに他ならない。

仏教が渡来する以前に、日本には自然信仰の長い伝統が存在した。山や水を崇拝し、木や石にも神霊が宿るという宗教の原始形態である。そこにたとえば、自然の樹木に仏を刻む「立木《たちき》観音」の信仰が生まれたが、円空が実行したのも正にそれと同じものであった。

別言すれば、仏教が頽廃した徳川時代に、神仏が合体した初期の姿に還ろうとしたのである。山桜は十一面観音に変身した。自然の樹木さえ成仏するものを、いかに貧しく、無知であるとはいえ、人間が救われない道理があるだろうか。彼は自ら「護法神」となって、髪を逆だて、まなじりを決して、お経を読むかわりに仏を刻み、貧しき人々の指針となった。それはある一人の修行者の、信仰の証しであり、告白でもあった。「芸術」と無縁であるとはいえないが、私はそこに彫刻の造型美を見出すより、円空という原始人の求道の烈しさを想いたい。

善悪不二の世界

先日、三島の龍沢寺の宗忠老師から、面白い話をうかがった。この頃は禅に道を求める外人が多いので、老師は時間の許すかぎり、世界中を廻っていられる。中でもドイツ人は熱心だが、元来が理づめで物を考える人種だから、古今の先人たちが、仏教の真髄を悟るに至ったデータを収集し、どの方法が一番適しているか、コンピューターではじき出して見せに来た。

「それで、お前さんはどうなんだ」

老師がそう聞くと、それには一言も答えられなかったという。日本人ならハッと気がつくところだが、気がついただけでは、何ということもない。「お前さんはどうなんだ」――つまり、自分はどうなのかと問いつづけるのが禅の道であり、答えはむしろ問いの中に含まれているというべきだろう。私は禅に関してまったくの門外漢であるが、修行を積んだお坊さまなら、日常の立居振舞いがそのまま禅の姿と化している筈である。

禅、禅と、近頃はやかましいことであるが、たしかに禅宗の寺の雰囲気は清々しい。写真に撮影しても、美しい絵になる。だが、写真に撮れるのは表向きのことだけで、せいぜい行儀がいい、ちゃんとやっている、という印象しか与えない。いってみれば、お茶のお手前とか、お能の型みたいなもので、人間の魂に関することは何一つ教えない。勿論、形をととのえるのは大切なことで、それも「行《ぎょう》」の一つには違いないが、坐禅や托鉢だけが禅のすべてと考えるのは間違っていると思う。

禅の問答というものも、一般には一人よがりの見本みたいに思われているが、言葉にとらわれるから不可解なので、生き生きした人間同士の間に、火花が散るところに意義がある。それを書いたり、説明したりすると、死物化するので、「不立文字《ふりゅうもんじ》」（文字に書かないこと）を建て前としている。あくまでもそれは建て前であって、悟りを開いた瞬間の、曰く言い難い境地を、文字で表現することに吝《やぶさ》かではない。道元禅師は、中国へ仏教の修行に行かれたが、ある日、先師たちの語録を読んでいると、一人の僧が問いかけて来た。

「語録を読んで、何にするのですか」

「古人の行いを知るのです」

「何のために」

「日本へ帰って、人を教化《きょうげ》するためです」

「何のために」

「衆生を救済するためです」

「とどのつまり、何のために」

そこで道元ははたとつまってしまった。ここでも問いの中に答えは用意されていたといえるであろう。以後、道元は坐禅に専心することとなるが、彼の場合は、型どおりの坐禅ではない。カメラもコンピューターも入って行けない自分だけの魂の秘境である。

そうかと思うと、一休和尚のように、女色に耽溺し、禁断の酒や魚を喰らって、悟道に達した人物もいる。現代人には、逆説的な生きかたと見えるかも知れないが、因襲や現象にとらわれるからそう思うので、禅の道に順逆の区別はない。一休は、溺れたから何かを摑むことができたので、溺れて終るか終らないかは、要するにエネルギーの問題であろう。

とやかくとたくみし桶の底ぬけて
水たまらねば月も宿らず

という狂歌には、何物にも束縛されぬ自由な境地が謳われている。あれこれ思案したあげく、桶はついに破れたのだ。桶とはむろん彼自身のことである。命がけで女に惚れた一休と、坐禅に没入した道元の間には、方法は違っても、徹底的に自己を追求した点においで、何ら異なるところはない。持って生まれた資質を最大限に生かし得た時、おのずから他者を救済する道が開けたので、他者を救済するために、修行をしたわけではない。目的はいくら立派でも、何かのためにする修行も、勉強も、つまる所は私欲である。目的を持つことすら、修行の妨げになることを、前にあげた道元の逸話は語っている。すべての欲を滅し、自己を抹殺した時、はりつめた心の糸が切れて、真に自由な魂が得られる。それを「悟り」と呼ぶのであろうが、悟りは一回こっきりで終るのではない。「悟り悟りては未悟《みご》に同じ」ところまで、一生かかって追求するのが禅の道だと私は思っている。

禅について書けという注文で、私は自分の生活体験に即して述べてみたが、我々のような俗人でも、心を虚しうしてみれば、人間の本質には、順も逆も、善も悪も、存在しないことはわかる筈である。そこに禅の難しさがあると思う。或いは、わかることと、することとは違う、といってもいい。昨日テレビ・ドラマを見ていたら、馬鹿な女の子が、大阪弁で、「呑みこみよしの、噛みこみ悪し」といっていた。馬鹿な女の子に扮した女優さんが、である。みごとな現代風刺で、私はぎょっとしたが、無知な女の子だから、真直ぐに物が見えたので、呑みこみばかりよくて、噛みこみの悪い禅ほど、世に害を及ぼすものはない。そのことを昔の人々は、「野狐禅《やこぜん》」と称したが、私が禅宗の寺に近づかないのはそのためもある。はじめに記した宗忠老師とは、個人的なつき合いで、禅のお講義なんか聞いたためしはない。頼んでもしては下さらぬであろう。ただ、龍沢寺の落ちついた雰囲気が好きで、お酒を御馳走になっていい気分になる、今のこの時をおいて、ほかにどんな時があるというのか、そういうものが禅だと単純に信じているにすぎない。三島界隈の野狐に見えなければ幸いである。

仏隆寺の桜

大和の桜井から東へ曲って、長谷寺の前をすぎて行くと、榛原《はいばら》で道は二つにわかれる。まっすぐ行けば名張に至るが、右へとれば「元伊勢街道」で、古代の斎宮が伊勢へおもむく時通った古道である。その途中の高井という集落に、「室生山　女人高野」と記した石標があり、左手の急坂を登った山中に、仏隆寺という古刹が建っている。たぶん名所案内などにはのっていない寺で、峠を越えれば室生寺に達するが、むろん車はそこまでは行かない。

室生寺は古い歴史を持つ寺で、室生山を中心に、東西南北に四至が定められていた。その「南の大門」に当るのが仏隆寺で、嘉祥三年（八五〇）、弘法大師の弟子の賢恵《けんね》によって建立された。光明ケ岳という美しい山の中腹に建ち、その山中の「白岩」で、賢恵は入定したと伝えている。山岳仏教の修行者であったに違いない。本堂の裏手には石窟があって、五輪塔が建っているが、それが賢恵の墓所であるという。

建築も、仏像も、見るべきものは何も残っていないが、この寺には一つだけ、得がたい宝がある。それは参道の入口にそびえる桜の大木で、そびえるというより、わだかまっている、といった方がいい。上の方は、颪か雷に傷められたらしく、丈はそう高くはないが、幹の太さは五つ抱えほどもあり、樹齢五、六百年は経ているであろう。私が知る範囲では、大和の中で一番大きな桜の老樹である。桜の寿命は環境によって違うから、或いはもっと古いかも知れない。まわりは広々とした田圃で、その向うに重畳たる峯々が見渡され、鳥の声のほか物音一つしない別天地である。

私がはじめて行ったのは、五、六年前の葉桜の頃で、初夏の太陽をあびて、のびのびと枝をはっており、花の頃はさぞかし見事であろうと想像した。先日奈良へ行った時、ふと思い出して寄ってみると、麓の村では散りかけているのに、山の中はまだ早春の候で、ほころびそめた蕾を見て帰って来た。二、三日うちに、私はまた大和へ行くつもりだが、今度は散っているかも知れない。ほんとうに桜の花ほど、人をはらはらさせるものはない。

世の中にたえてさくらのなかりせば
春の心はのどけからまし　　在原業平

と、昔の人は実にいい言葉を遺している。

禅寺丸

禅寺丸というのは、柿の名前である。隣りに「柿生《かきお》」という地名もあるとおり、私が住んでいる鶴川の周辺には、柿の木が多い。その殆どが禅寺丸で、見栄えはしないけれども、全体にごまがふいていて、おいしい柿である。古い農家には、樹齢二百年から五百年におよぶ大木が、何本も生えており、昔は隔年に剪定するならわしであった。この頃は人手がないため、そういう習慣はなくなったが、草木時を違えずで、放っておいても一年おきにしか実をつけない。今年は生り年で、どの家にも、真赤な柿がたわわに実っている風景はみごとであった。が、思いなしか実はいく分小さくなったようである。やはり木を疲れさせないためには、人間が手を貸してやる必要があるに違いない。来年は何とかして、折ってやらなければかわいそうだ、そう思っている中にいつしか秋も暮れて行った。

農家の中には、実もとることが出来ずに放っておく所もあるが、全部とりつくした家でも、必ず一つは木のてっぺんに残しておく風習がある。これを「木守り」といい、神様にささげるのか、野鳥のために残しておくのか、理由はよくわからないが、どちらにしても奥床しいしきたりであると思う。

私の柿についての知識はその程度で、何十年もつき合っていながら、禅寺丸の出所など、考えてみたこともなかった。ところがある日、知人が訪ねて来て、禅寺丸の名は「王禅寺」に出ていること、その寺は私の家から車で十分とはかからぬ所にあり、大きな寺院であると教えられた。そこは私たちが東京への往復に、いつも通っている道筋で、お寺はとうの昔になくなって、地名だけが残っていると思いこんでいた。その知人というのは、銀行の方で、藤本さんといい、もし望むならいつでも案内して下さるという。長年楽しませてくれた柿へのお礼もかねて、藤本さんに連れて行って頂いたのはつい先日の日曜日であった。

東京のベッドタウンと化した鶴川・柿生の周辺は、団地ができて景色は一変したが、ちょっと横道へ入れば、まだ武蔵野の面影が至るところに残っている。王禅寺は、昔の大山街道から、雑木林をぬけて行った山中に、ひっそりと鎮まっていた。鳥の声と、梢をわたる風のほか、物音一つ聞えない幽邃の境である。山あいにわずかに開けた参道を辿って行くと、梅林があり、石段の上に山門が見えて来る。正面の少し高い所に観音堂が望まれ、右手の方には茅葺《かやぶき》屋根の講堂が建っている。その前に半ばくずれ折れた古木の株があって「これが禅寺丸の先祖です」と、藤本さんが指さして下さった。そこには何千何万となく子孫を残して朽ちはてた老木の、異様な静けさと安らぎが感じられ、私は思わず「御苦労様でした」といって手を合せた。

住職も御在宅で、広い庫裏の中で会って下さる。王禅寺は、延喜二十一年（九二一）高野山三代目の無空上人の建立で、星宿山蓮華王院と号し、土地の豪族の庇護のもとに、一時は「関東の高野山」と呼ばれる程の名刹であった。創建当時は三十六ヵ寺の末寺を擁し、領地は町田から調布のあたりまで及んでいたという。私どもが鶴川へ移った頃、西生田の山の上に、「弘法の松」と称する大木がそびえていたが、それも「関東の高野山」にちなんで名づけられたものに相違ない。その後、度々の火災に、堂塔や仏像は消え失せてしまったが、五、六万坪もあるという境内には、大木の欅並木や梅林が残っており、いかにも由緒のある寺らしい雰囲気がただよっている。三十余年も隣村に住んでいて、こんな気持のよい寺院がかくれているとは知らなかった。まして、禅寺丸の元祖がここにあろうとは。灯台下暗しとはこのことであろう。

さすがに住職は、柿について詳しかった。一時は熱心に研究されることもあったという。禅寺丸の歴史は遠く鎌倉時代にさかのぼる。順徳天皇の建保二年（一二一四）、この寺の住職等海上人が、火災に遇った本堂を再建するために、山中で材木を物色している時、一本の柿の老樹を発見した。喰べてみると、まことにおいしい。かねてから上人は、農村のために何か残しておきたいと思っていたので、直ちに坊の庭園にその柿を移植し、農家の人々を説いて栽培に着手した。地味も合っていたに違いない。たちまち柿は近在の村々に子孫をふやして行った。江戸に幕府ができた後は、「王禅寺の丸柿」と呼んで、盛んに市場へ出すようになったが、それをちぢめて「禅寺丸」と呼ぶようになったのは、元禄時代のことだという。目黒の「柿の木坂」は、柿を運ぶ道筋に当っていたので、その名を得たというから、よほど大量に出荷したのであろう。

戦中戦後へかけて、食糧に乏しかった頃は、私どもの家でも毎日柿をとって、箱につめ、道ばたの錠口においておくと、農協がトラックで集めに来た。今から思うと、夢のような話であるが、その後果物が改良されて、みごとな柿ができるようになっても、禅寺丸のコクのあるおいしさには叶わない。一つには、熟しきるまで樹上においておくためもあろう。が、見てくればかりよくなって、味が劣るのが、最近の世間一般の風潮ではなかろうか。それは果物だけにかぎるわけではあるまいと、わが家の「木守り」を眺めつつ、私はしきりにそんなことを思っている。

菜の花の咲くころ

菜の花の咲くころになると、お遍路さんを想うのは私だけではないだろう。黄いろい花をしきつめたじゅうたんの間を、白い菅笠《すげがさ》が見えがくれに、三々五々うちつれて行く。いつしか私もその群れにまじって「同行二人」と書いた笠の陰で、「遍照金剛《へんじようこんごう》」と唱えつつ、次の札所を目ざして行くようだ。まことにのどかな田園風景であるが、菅笠の奥にかくされた顔が、はたで見るほど呑気なものかどうか。もっとも近頃は巡礼も観光化して、ジーパン姿の若者たちが、鼻唄まじりで札所を駈けまわっているらしいが、こんな古風な信仰体系が、未だに命を保っているのは「伝統」の力であり、無理に守って行くものが伝統ではないと、私などは思っている。たとえ信仰なんか持たなくても、鼻唄まじりでも、遍く照らすのが仏さまの光明で、仏の慈悲に善悪の差別はないのである。

そういうことを私は、西国三十三ヵ所の巡礼を取材した時に知った。私のように信仰のないものが、取材のために巡礼をしていいものか、それは信仰を持つ人々に対して、冒瀆ではないかと怖れていたが、昔の人々の本を読むと、巡礼をするには、信仰を持たなくて構わない、ただ歩けばいい、と書いてあったので、半信半疑ながら信用することにした。そして、それが事実であることを知ったのである。

歩け、と書いてあるから私は、時間と体力の許すかぎり歩いた。西国巡礼は、南は熊野から、北は天の橋立まで、広い範囲に及んでいるので、遠いところは電車や車に乗ったが、山の麓から参道は必ず徒歩で行った。時には三時間も四時間もかかることもあった。そうして辿りついた山頂の眺めは、この世のものならず美しく、そこで食べるおむすびは、五臓六腑にしみわたる。甚だ陳腐な体験だが、極楽浄土とはこういうものだとその時痛感した。そうした札所巡りを毎日つづけていれば、陳腐な体験も少しはましなものになって来る。那智の滝の偉容に、神の姿を垣間見ることもあり、山の端に落ちる夕陽に、阿弥陀来迎の景色を想いみる時もあった。その憶い出が忘れがたくて、後にバスや車で乗りつけても、苦労して歩いた時の十分の一の感動もない。私の経験は至ってあさはかなものであるが、たしかに歩くことによって、人間は多くのものを得る。しまいには歩けなくなっても、あの時の体験によって私は、心の遍歴は生涯つづけることができるであろう。

巡礼というと、私たちはすぐお遍路さんを想像するが、それは四国八十八ヵ所の名称で、西国三十三ヵ所では、お遍路さんとはいわず、単に「巡礼」と呼んでいる。前者は、弘法大師の足跡を巡る道、後者は、観音信仰に起こったもので、歴史は西国巡礼の方がはるかに古い。そのほか関東にも、秩父にも、その他の地方にも、「霊場」と名づける所は多いが、いずれも後にできたもので、何といっても巡礼は、以上の二つに代表されており、交通が便利な西国よりも、四国の方が昔の面影をとどめているといえよう。

今もいったように、私は西国巡礼しかしたことはなく、それも取材のためであった。いつの日か、何の目的も持たず、一介のお遍路さんになって、四国八十八ヵ所を廻ってみたいというのが私の夢である。私は日本だけでなく、外国も至るところ旅行しているが、四国だけは未だに行ったことがない。その時のために、大事にとってあるのだ。だから菜の花が咲くころになると、おちおちしない。今年も駄目か、今そう思ってがっかりしているところだが、人生はくまなく知ることが能ではあるまい。したいことの一つや二つ残しておいた方が、余韻があっていいのではなかろうか。

解説

すいたことをして

高橋睦郎

白洲正子が他界して一年を過ぎた。

白洲ブームというのか、正子フィーヴァーというべきか、白洲正子の人気は死後も衰えないどころか、かえって盛んになった感さえある。その原因はどこにあるのだろうか。

要するに上流家庭に生まれ、富裕な家の息子と結婚し、師・先輩・友人に恵まれた、手の届かない存在へのミーハー的憧れにすぎない、との説がある。そうだろうか。もしそうだとしたら、その憧れは間違っている。

上流家庭に生まれ育ち、富裕な家に嫁いだ人なら、他にもたくさんいる。そんな人のつねとして、師・先輩・友人に恵まれた人も尠《すくな》くなかろう。しかし、それらの人人がすべて晩年の白洲正子のような魅力的な存在になったわけではない。反対に、選良意識ばかり強い鼻持ちならない存在になってしまった人の方が多いのではなかろうか。

ちょっと見に恵まれた条件に思えるものは、いつも両刃の剣だ。というより成長の妨げになる可能性が高い、ともいえる。いわゆる悪条件を乗り超えることより、良条件を活かすことがかえってむつかしいかもしれないのだ。

こう考えてくると、白洲正子の場合においては、良条件に恵まれたゆえに、というより、良条件に恵まれたにもかかわらず、というべきではなかろうか。良条件に恵まれたにもかかわらず、これに甘えることなく、これをよく生かして成長をつづけた、と。

いや、成長という表現はどこか功利主義の窮屈さがあって、白洲正子のイメジとずれるようだ。固い表現を用いれば自己実現、砕いていえば白洲正子が白洲正子になるべく生きた、ということだろう。いま生涯を溯り下り見て、白洲正子は白洲正子になるあらゆる機会を逃がさなかった。そんな気がする。その機会のひとつが古寺巡礼だったのだろう。

自分が古寺巡礼を始めた理由を、白洲正子は次のようにいう。

……私は十四歳から十八歳までアメリカへ留学していたので、日本のものが珍しく、懐かしかったのかも知れません。帰ってすぐのころから、地図を頼りに、人に聞いたり、道に迷ったりしながら、方々のお寺を訪ねたものです。（中略）というわけで、「古寺を訪ねる心」なんてまったく持ち合わせてはいなかった。今だって怪しいもんです。子供の時からのご縁で、神社仏閣を訪ねたり、宗教に関する注文が多いので、取材に行くことが多くなりましたが、「心」なんかにかかずらっていては、ろくな取材はできません。（中略）しいて「心」というのなら、無心に、手ぶらで、相手が口を開いてくれるのを待つだけです。お寺ばかりでなく、私は何に対しても、そういう態度で接しているようです。そんなわけで、私は極く自然にお寺へ入って行ったんです。案内書や解説書がなかったことも、今から考えると幸せだったかも知れません。何にもとらわれずに、否応なしに自分の眼で見ることができたから。日本の歴史や古典を多少知ったのも、歴史や文学の側からではなく、お寺と美術品に興味を持ったためです。逆にものの方から入って行ったといえましょう。……

「古寺を訪ねる心――はしがきにかえて」

本書の冒頭にある文章からの引用だが、もとは暁教育図書刊『古寺探訪（日本発見15）』昭和55年に書かれたもの。「古寺を訪ねる心」という題名で「『古寺を訪ねる心』なんてまったく持ち合わせてはいなかった」と言い、「『心』なんかにかかずらっていては、ろくな取材はできません」と言うのは、常識への挑戦とも受け取れる。あるいは「古寺を訪ねる心」は注文側から出された題名で、白洲正子はその題名を逆手に取って「古寺を訪ねる心」など古寺を訪ねる邪魔にこそなれ、導きにはならない、という体験から来た古寺を訪ねる心得を述べているのかもしれない。

いや、ことは古寺にとどまるまい。「心」より逆に「もの、の方から入って」、「無心に、手ぶらで、相手が口を開いてくれるのを待つ」のが「何に対しても」同じ白洲正子の対しかたなのだから。だから、本書は「私の古寺巡礼」という題名にもかかわらず、「古寺」の案内書でもなければ、「古寺巡礼」の手引書でもない。「古寺」あるいは「古寺巡礼」を通しての、白洲正子の、ものとの、他者との、世界との、ひるがえって自分自身との付き合いかた、つまりは生きかたの書なのだ。

もっとも、そう言ってしまえば、白洲正子の著書は、人物についての書も、芸能についての書も、骨董についての書も、すべて生きかたの書だということになって、解説者の書くことはなくなってしまう。解説者としてはひっくるめて生きかたの書といえる白洲正子の著書の対象の中の「古寺」または「古寺巡礼」の特徴を見付けなければなるまい。「古寺」はいうまでもなく「古」い「寺」、「寺」は信仰の対象であり、「古」い「寺」は信仰の対象の原型に近いものを保っている、といえる。人物よりも、芸能よりも、まして況んや骨董よりもはるかに深く精神的な対象といえるだろう。

しかし、それだけにまた躓きの可能性も大きいのではないだろうか。訪れる者が信仰者なら信仰の対象として訪れればいい。問題は信仰を持たない者が訪れる場合だ。信仰を持たない者は信仰を持たないことをどこかで負い目に感じているから、信仰に代わるものを用意して訪れようとする。それが訪問先の古寺についての知識だ。「あれでは頭でっかちになってしまって、じかにものを見ることはできないし、まして、仏さまを拝む気持ちなんかにとてもなれないでしょう」と白洲正子は言う。「無心に、手ぶらで」は他のどんな対象にもまして「古寺」または「古寺巡礼」を対象にする場合、切実に必要な態度ということになろう。

もっとも、白洲正子とてはじめから確信があったわけではなかった。「はじめて」「西国三十三ヵ所の巡礼を取材した時」「もあまり本を読みませんでしたが、読んでもちっとも参考にはならなかった。ただ、私のように信仰のないものが、そういうものを書いて冒瀆にならないかと、それだけが心配でした。ところが、信仰なんかなくても構わない、ひたすら歩けばよいと昔の人の本にあったので、安心して取材にとりかかったというわけです」。以後、白洲正子は確信をもって「無心に、手ぶらで」「ひたすら歩」いて「古寺」を訪ねることになる。

「ひたすら歩」くとは文字どおりであって、目指す「古寺」にいきなり乗りつけたりはしない。「ひたすら歩」いて行くと、「その間に仏さまを拝むという気持ちが次第に作られて行く。お能の橋掛でも、歌舞伎の花道でも、舞台に至るまでの過程が面白いのと同じことで、バスや車で乗りつけたのでは、興味は半減します。（中略）忙しい時代だから、よけいそういう『時間』が必要なのではないでしょうか」。

白洲正子は「無心に、手ぶらで」「ひたすら歩」く。歩いた時期や行先はさまざまだが、

「無心に、手ぶらで」「ひたすら歩」いたことだけは一貫している。「無心」だから、「手ぶら」だから、さまざまなものを発見し、さまざまの秘密をわがものとする。発見しわがものとした中でとりわけ重要なことは、もともとこの国では広く「山にも木にも水にも、神さまが宿ると信じられていた」こと、「そういう自然信仰が、十分に行き渡っていたところへ」「仏教が入ってきた」こと、「仏教も古くから行われた日本固有の自然信仰を取り入れることによって、発達をとげた」ということだ。

そんなことは神仏混淆として学問の世界でとっくに定説となっている、などと言うなかれ。白洲正子は学問からではなく、「無心に、手ぶらで」「ひたすら歩」くことで、このことを発見し、わがものとしたのであり、そのことが大切なのだ。世間的にどうのこうのということでなく、白洲正子が白洲正子となるために大切だったのだ。

白洲正子が白洲正子になるとは、白洲正子の神の発見と言い換えることもできようが、それは当然のことながら日本人の神の発見でもあった。白洲正子の著書が広く読み継がれる理由もそこにあろう。

そういう白洲正子だから、論理的な教義仏教よりも実践的な神仏混淆にいっそう深い興味を持つ。「葛城山をめぐって」の修験道の開祖役小角、「葛川　明王院」の回峰行の創始者相応和尚、「室生寺にて」の室生寺の前身というべき龍穴神社、「こもりく　泊瀬」の長谷寺門前町の最初の突当りにある与喜天満宮、本泊瀬の滝蔵権現、「若狭紀行」も遠敷明

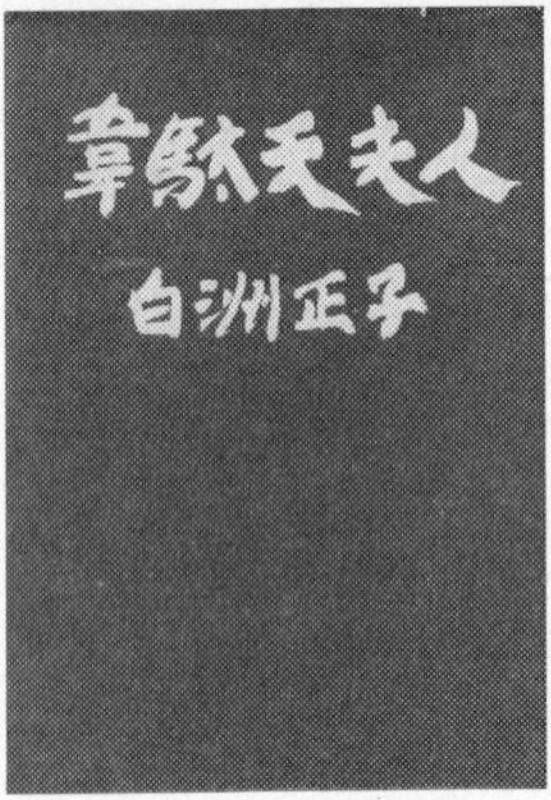

『韋駄天夫人』カバー
（昭和32年　ダヴィッド社）

『お能の見かた』カバー
（昭和32年　東京創元社）

『近江山河抄』函
（昭和49年　駸々堂出版）

『古典の細道』カバー
（昭和45年　新潮社）

『白洲正子自伝』カバー
（平成6年　新潮社）

『日月抄』カバー
（平成7年　世界文化社）

『風姿抄』カバー
（平成6年　世界文化社）

『両性具有の美』カバー
（平成9年　新潮社）

神の東大寺若狭井へのお水送りから始まるし、「お水取りの不思議」は若水汲みから来たお水取り、たたら踏みから来たらしいだったたん、神名帖について語る。「熊野の王子を歩く」にいたっては神道そのものだが、歩く者にとっては仏教との区別があるかどうか。もちろん、巡った寺ごと、社ごとの発見も数多い。いま、その中のいくつかを抽き出そう。

……修二会が済んだ後で、土地の人々はこの造花を頂いて、苗代の四隅にさしておくという。むろん豊作のお呪いに用いるので、お水取りは今でも農夫の暮しと密接に結びついている。観光客には珍しい見ものにすぎないお水取りも、彼らにとっては、まったく別の意味をもっているように思われる。それを信仰と呼べるかどうか一概にはいえないが、一年の生活のけじめとして、欠くことのできぬ規準となっていることは疑えない。(中略)「お水取りが終らないと、春が来ない」という言葉も、そこでほんとうに生きて来る。生活を離れたところに、そういう喜びはない。……

——「お水取りの不思議」

＊

……古い賀茂氏の一族に生れ、不思議な霊力をそなえた母を持った小角は、幼時から天才的な資質に恵まれていた。十三歳の頃には、葛城の山中にこもって修行をし、呪術をよくするようになったと聞く。叔父の願行に仏教も学んだが、外来の宗教にあきたらなくなったのか、故郷の山岳で長い間放浪をつづけていた。道教の影響をうけたともいわれるが、それよりむしろ自分の神、日本人に適した信仰を見出すべく、探求を重ねたというべきだろう。（中略）蔵王権現は、いってみれば日本の山の神と、外来の仏教が合体して生れた信仰の対象である。この時から「神仏混淆」（または習合）と呼ばれる特種な思想が形成されて行くが、役行者一人の功績ではなかったにしても、そのもっとも素朴な姿が、彼の発見によることは疑えない。別の言葉でいえば、それまでは宮廷貴族に独占されていた仏教が、民間信仰と結びついたのが修験道で、大衆のためには大きな救いとなった。……

――「葛城山をめぐって」

*

……信仰は、たとえていえば芸と同じようなもので、単に伝承するだけでなく、実行することによって伝えられ、伝えて行く間に、洗練と精緻を極める。いわば作曲家と演奏家の関係にあるといえよう。（中略）現代人はとかく形式というものを軽蔑するが、精神は形の上にしか現われないし、私たちは何らかのものを通じてしか、自己を見出すことも、語ることもできない。そういう自明なことが忘れられたから、宗教も芸術も堕落したのである。……

——「葛川　明王院」

＊

……日本の庭は生きものだ。有名になりすぎて、人が大勢見物に来ると、その相まで変ってしまう。それは仏像その他の美術品にしても同じことだろう。……

——「南河内の寺」

＊

……日本の風景画は、自然を拝むことから発達したが、拝む心を持たないものに、このように崇高な景色は描けなかったに違いない。春景色の方は、この辺の山の姿にそっくりで、雪の山は、葛城であろうか。眺めていると、これはやはり那智ではなく、金剛寺に住んだ画僧が、自然と長い間つき合って、すっかり自分のものにした後、心の中の風景を描いたように思われて来る。……

——「南河内の寺」

＊

……何も独創ばかりが自慢になることではない。いやその自意識が古く美しいものに対して鈍感にさせるのかも知れない。昔の人達は、「世は末世」といって嘆いたが、わが世の春を謳歌する現代こそ、実は末世ではないかと私は思う。……

――「南河内の寺」

＊

……木彫によって、私たちの祖先は、造仏に開眼したに違いない。それまでの金銅仏とはちがって、みずみずしい生気にあふれ、仏像というより、檜の精みたいな感じがする。……

――「室生寺にて」

＊

……地形からいっても、三輪山の奥の院と呼ぶにふさわしい場所で、「こもりく」は神の籠る国を示したものに他ならない。だから上代の斎宮も、伊勢へおもむく前に、ここに籠って、神聖な資格を得たので、そのことと切離して、「こもりく」という枕詞は考えられない。（中略）長谷寺が造られ、十一面観音が鎮座するまでには、実に長い「こもりく」の歴史があった。いかに変化自在な観音といえども、伝統のない所に忽然と湧出するわけには行かなかったのである。……

――「こもりく　泊瀬」

＊

……内なる庭と、外の景色が、互いに呼応し、無言のうちに共鳴し合っている、そういうものが日本の庭であり、禅宗の思想ではないかと私は思う。……

——「近江の庭園」

＊

……月にも花にも紅葉にも、一生に一度という瞬間があることを、私はこの頃になって身にしみて感じている。……

——「幻の山荘」

＊

……持って生まれた資質を最大限に生かし得た時、おのずから他者を救済する道が開けたので、他者を救済するために、修行をしたわけではない。目的はいくら立派でも、何かのためにする修行も、勉強も、つまる所は私欲である。目的を持つことすら、修行の妨げになる……

——「折々の記」善悪不二の世界

こう書き抽いて来ると、最初に自己実現といったことも何やら功利主義の匂いがして引っこめたくなる。ついでに白洲正子が白洲正子になるべく生きた、ということも。白洲正子は自ら意図して白洲正子になろうとしたわけではない。まして況んや自己実現など考えもしなかったろう。興の湧くまま、心の惹かれるまま、まことに自然に寺を訪ね、人に会い、物を買いつづけた、その結果白洲正子になって行った、ということだろう。だから、それらについての文章も、注文があったからということを別にして、書きたいから書いたというのが本当のところだろう。そんな自然な生きかたを要約して『葉隠』の一章を持って来ることはそれほど遠いことではあるまい。白洲正子はジェンダーとしては女性だが、「葉隠」以上に「葉隠」的な薩摩武士の裔であること、まぎれもないのだから。「人間一生誠に纔《わずか》の事なり。すいた事をして暮すべきなり」。「すいた事」をして「一生」「暮す」ことはなまなかな目的意識よりはるかに大きな胆力を要すること、言うを俟つまい。

年譜——白洲正子

一九一〇年（明治四三年）

一月七日、東京市麴町区（現・千代田区）永田町一丁目一七番地に生まれる。樺山愛輔・常子の次女。ほかに、一六歳上の姉と九歳上の兄がいる。父愛輔は、実業家・貴族院議員・枢密顧問官。函館船渠・北海道炭礦汽船・千代田火災保険・日本製鋼所の重役として活躍。さらに、国際通信社（現・共同通信社）・日米協会・国際文化会館・国際文化振興会の設立など、国際的・文化的事業につくした。祖父樺山資紀は、鹿児島出身の軍人・政治家。維新後、西南戦争・日清戦争で戦功をたて、海相・海軍大将・台湾総督・内相・文相・枢密顧問官を歴任。母方の祖父川村純義も、また鹿児島出身の海軍軍人。洋画家・黒田清輝は、父愛輔の親戚にあたる。その代表作「読書」「湖畔」は、ともに樺山家の旧蔵品であった。

一九一三年（大正二年）　三歳

四月、学習院女子部幼稚園に入園。幼年期より、人と交わることを好まず、無口な性格であった。

一九一四年（大正三年）　四歳

梅若流（現・観世流梅若派）の二代目梅若実について、能を習いはじめる。

一九一六年（大正五年）　六歳

三月、学習院女子部幼稚園を卒園。四月、学習院女子部初等科へ入学。入学の祝いに買ってもらった自転車に乗って、麴町界隈を走りまわる。この頃、すでに乱読の癖あり、毎日のように作文を書く。

一九一八年（大正七年）　八歳

初等科時代、一年の大半を御殿場の別荘で過ごす。毎日、馬に乗って山野を駆けめぐり、木登りやかけっこをして、自然と親しむ。この頃から、無口で非社交的な性格を思い直し、一生懸命、人と付き合うことに努める。

一九二一年（大正一〇年）　一一歳

浅草厩橋の梅若実の稽古場に通う一方、週一回、自宅でも梅若実の子息六郎（一五歳）より能を習う。この頃から、能に本格的に熱中する。白洲の回想によれば、「この世は仮りの宿」「彼岸に至る」「生死を離れる」などという言葉を、物心もつかぬうちに覚えてしまったという。

一九二二年（大正一一年）　一二歳

二月、祖父資紀（八六歳）死去。

一九二三年（大正一二年）　一三歳

九月、関東大震災。家族とともに御殿場の別荘にいて、震災を免れる。この頃、「温室育ち」という作文を書き、父親を閉口させる。

一九二四年（大正一三年）　一四歳

女人禁制の能楽堂の舞台に、女性としてはじめて立ち「土蜘蛛」を舞う。三月、学習院女子部初等科（中期）を修了。四月、父親と二人で、伊勢・大和方面に旅行。九月、渡米。ニュージャージー州のハートリッジ・スクールに入学。五〇人しか生徒をとらない女子全寮制の学校で、厳しい教育を受ける。この頃までに、『平家物語』『枕草子』など、広く古典文学に親しむ。

一九二七年（昭和二年）　一七歳

四月、金融恐慌の煽りをうけて、父親の関係していた十五銀行が倒産。永田町の屋敷を串田万蔵（当時・三菱銀行会長・串田孫一の父）に売って、大磯の別邸に移る。事態を察し、米国の大学進学をあきらめる。

一九二八年（昭和三年）　一八歳

六月、ハートリッジ・スクールを卒業し、帰国。能の稽古を再びはじめる。世阿弥の『花伝書』をいつも傍らに置き、生涯の愛読書とする。大磯の別邸にて、午前は漢文の先生につき、午後は国学院の鳥野幸次氏より『源氏物語』を教わる。

一九二九年（昭和四年）　一九歳

一一月、白洲次郎（二七歳）と結婚。大磯に住む。一二月、母常子病死。

一九三一年（昭和六年）　二一歳

二月、赤坂氷川町の家にて、長男春正誕生。産褥熱のため生死を彷徨う。この頃、夫次郎の仕事上の関係で、毎年欧米に出かける。

一九三二年（昭和七年）　二二歳

五月、パリ滞在中に、五・一五事件起きる。

一九三五年（昭和一〇年）　二五歳

夏、軽井沢の別荘の隣りに住む河上徹太郎を知る。河上に勧められて、小林秀雄の『アシルと亀の子』を読む。

一九三六年（昭和一一年）　二六歳

二月、パリ滞在中に、二・二六事件起きる。その後、ドイツ滞在中に子宮外妊娠のため卵管破裂、続いて腸捻転を起し入院。

一九三八年（昭和一三年）　二八歳

一月、次男兼正誕生。

一九四〇年（昭和一五年）　三〇歳

二月、母常子の遺稿歌集（再版）に、想い出の記を書く。六月、小石川水道町の家にて、長女桂子誕生。この年、鶴川村能ケ谷（現・町田市能ケ谷町一二八四）に、茅葺き屋根の農家を買う。この頃、『お能』（昭和一八年刊）の原稿五〇〇枚を、一週間で書き上げる。

一九四一年（昭和一六年）　三一歳

一二月、太平洋戦争はじまる。
一九四二年（昭和一七年）　三二歳
四月、東京にはじめての空襲。改築半ばの鶴川の農家へ引越す。この頃から終戦直後まで、細川護立に中国陶器をはじめ、古美術全般について教わる。壺中居・繭山龍泉堂など骨董屋を頻繁に歩く。
一九四三年（昭和一八年）　三三歳
一一月、志賀直哉・柳宗悦らの勧めで、『お能』を昭和刊行会より刊行。この年、梅若実の家より、先祖伝来の能面・能装束などを、鶴川の白洲家に疎開させる。戦時下、能面ばかり眺めて暮す。そのことが、のちに『能面』をまとめ上げる起因となる。梅若実について能の稽古を、基本からやり直す。
一九四五年（昭和二〇年）　三五歳
三月、東京大空襲。五月、戦災で焼け出された河上徹太郎夫婦が、鶴川の白洲家に疎開してくる。二年間滞在。河上の影響で、アラン、ジイド、ヴァレリーなどの翻訳物を読む。この頃、河上から文士仲間の話を聞く。とくに、小林秀雄と青山二郎についての話が面白く、興味をもつ。八月、広島、長崎に原爆投下。戦争終結。
一九四六年（昭和二一年）　三六歳
春、河上徹太郎の紹介で、小林秀雄が白洲家を訪れる。戦争文学のため出版許可のおりない吉田満の『戦艦大和の最期』の出版実現を、白洲次郎（当時・終戦連絡部中央事務局次長）に頼む。夏、小林、白洲家に滞在。小林の文芸評論に興味をもち読み耽る。この頃、青山二郎を知り、急速に骨董の世界に没入してゆく。
一九四八年（昭和二三年）　三八歳
四月、『たしなみについて』を雄鶏社より刊行。
一九四九年（昭和二四年）　三九歳
夏、梅若実の舞台生活七〇年を記念して、その聞書をまとめたいと、子息六郎より相談をうける。
一九五一年（昭和二六年）　四一歳
四月、『梅若実聞書』を能楽書林から刊行。
この頃、秦秀雄が開いた「梅茶屋」に、毎日のように通う。「梅茶屋」は、小林秀雄・青山二郎・河上徹太郎・今日出海・大岡昇平・三好達治などが出入りし、いわば、文士の溜り場であった。
一九五三年（昭和二八年）　四三歳
一〇月、父愛輔（八九歳）死去。この頃より「能面」を求めて各地を旅するが、大方無駄足に終る。この旅がきっかけとなり、のちに出版される『かくれ里』の構想が生まれる。一二月、脱稿前の「第三の性」の原稿を、青山二郎によって半分以上削られる。この時のことを、白洲は「原稿も私自身もぼろ布れのようになって潰れ、それからしばらくの間、原稿の一字も書けなかった」と回想している。
一九五四年（昭和二九年）　四四歳
一月、「第三の性」を「新潮」に発表。四月、「私の芸術家訪問記」を「婦人公論」（四月号〜一二月号）に連載。
一九五五年（昭和三〇年）　四五歳
四月、『私の芸術家訪問記』を緑地社より刊行。装幀・編集・あとがきは青山二郎が担当。七月、「あたしの先生（青山二郎）」を「新潮」に発表。この年、銀座の染織工芸の店「こうげい」の開店に協力する。
一九五六年（昭和三一年）　四六歳
この年より、「こうげい」の直接経営にあたる。以後一〇年あまり、多くの染織作家を発掘し、その指導に努める。この頃、青山二郎、毎日夕刻五時になると「こうげい」に現われる。白洲の回想によれば、「五時頃になると、きまって晴れやかな笑顔で、奥さんと二人連れでやってきては、日本橋の道具屋を廻り、行きつけのバァを何軒も梯子して、帰るのは明け方になった」という。その結果、不眠と深酒がたたって胃潰瘍になる。

一九五七年（昭和三二年） 四七歳

六月、『お能の見かた』を東京創元社より刊行。一一月、『韋駄天夫人』をダビッド社より刊行。青山二郎がつけた渾名「韋駄天お正」より随筆集の題名をとる。

一九五八年（昭和三三年） 四八歳

一二月、「渋沢栄一」を「婦人公論」（近代日本人物再評論6）に発表。

一九五九年（昭和三四年） 四九歳

八月、梅若実死去。この年、胆石手術のため入院。

一九六〇年（昭和三五年） 五〇歳

この頃、能の免許皆伝を授かるが、女に能は出来ないと悟る。また、現在の能に幻滅を感じ、能から遠ざかる。

一九六二年（昭和三七年） 五二歳

三月、『きもの美——選ぶ眼・着る心』を徳間書店より刊行。

一九六三年（昭和三八年） 五三歳

三月、『心に残る人々』を講談社より刊行。六月、『能面』を求龍堂より刊行。「古美術」創刊号より「細川護立」「北大路魯山人」「安田靫彦」「鳥海青児」を連載。

一九六四年（昭和三九年） 五四歳

この年、『能面』によって、第一五回読売文学賞（研究・翻訳部門）を受賞。一二月、『花と幽玄の世界——世阿弥』を宝文館出版より刊行。一〇月、東京オリンピック開催。この間、那智山青岸渡寺をかわきりに西国三十三ヵ所の霊場を巡る。「信楽・伊賀のやきもの」を『日本のやきもの7』（淡交新社刊）に書く。

一九六五年（昭和四〇年） 五五歳

三月、『巡礼の旅——西国三十三ヵ所』を淡交新社より刊行。次男兼正、小林秀雄の長女明子と結婚。

一九六六年（昭和四一年）　五六歳
一月、「明恵上人」を「学鐙」に一二回にわたって連載。このため、明恵上人の遺跡を訪ねる。「明恵上人・紀州遺跡」を「古美術」に発表。
一九六七年（昭和四二年）　五七歳
一一月、『栂尾高山寺　明恵上人』を講談社より刊行。
一九六九年（昭和四四年）　五九歳
一月、「かくれ里」を「芸術新潮」に二年間連載。このため、毎月、京都を拠点に、畿内の村里をくまなく歩く。七月、「古典の細道」を「太陽」に一年間連載。「先代梅若実翁のこと」を「梅若」（一七三号）に発表。
一九七〇年（昭和四五年）　六〇歳
二月、「骨董夜話」を「太陽」に一年間連載。
一二月、『古典の細道』を新潮社より刊行。
この年、染織工芸の店「こうげい」を知人に譲り、著述に専念する。
一九七一年（昭和四六年）　六一歳
一二月、『かくれ里』を新潮社より刊行。
一九七二年（昭和四七年）　六二歳
この年、『かくれ里』によって、第二四回読売文学賞（随筆・紀行部門）を受賞。四月、「黒田辰秋　人と作品」を『黒田辰秋』（駸々堂出版刊）に書く。八月、「近江山河抄」を「芸術新潮」に一〇回にわたって連載。このため、近江の山河を訪ねる。「舞台と見物席の間」を吉越立雄写真集『能』（筑摩書房刊）に書く。
一九七三年（昭和四八年）　六三歳
一〇月、『ものを創る』を読売新聞社より刊行。秋、熊谷守一のアトリエを訪ねる。一一月、『謡曲平家物語紀行』上巻、一二月、同下巻を平凡社より刊行。「鈴鹿の流れ星」「伊吹の荒ぶる神」「私の伊勢神宮　大和から伊勢へ」を「芸術新潮」（四月号・五月号・一一月号）に発表。

一九七四年（昭和四九年）　六四歳
一月、「十一面観音巡礼」を「芸術新潮」に一年半連載。このため、奈良・近江・若狭などの古寺を訪ねる。『明恵上人』（新潮選書版）を新潮社より刊行。『お能』『近江山河抄』『西国巡礼』を駸々堂出版より刊行。
一九七五年（昭和五〇年）　六五歳
四月、『骨董夜話』（共著）を平凡社より刊行。一一月、「熊谷守一先生を訪ねて」を『熊谷守一クロッキー集』（神無書房刊）に書く。一二月、『十一面観音巡礼』を新潮社より刊行。同月、『古典夜話』（円地文子との対談）を平凡社から刊行。「風雅と幽玄」を『日本教養全集15』（角川書店刊）に書く。
一九七六年（昭和五一年）　六六歳
一〇月、『やきもの談義』（加藤唐九郎との対談）を駸々堂出版より刊行。同月、「牟田洞人の生活と人間」を『荒川豊蔵自選作品集』（朝日新聞社刊）に書く。一二月、『私の百人一首』を新潮社より刊行。「比叡山回峰行」「日本の橋」を「芸術新潮」（一月号・五月号）に発表。
一九七七年（昭和五二年）　六七歳
一一月、「瀧に想う」を永瀬嘉平の写真集『瀧』（駸々堂出版刊）に書く。「春日《はるひ》の春日の国」「桜川匂ひ」「熊谷先生の憶い出」を「芸術新潮」（二月号・八月号・九月号）に発表。
一九七八年（昭和五三年）　六八歳
一月、「東京の坂道」を「ミセス」に一年間連載。二月、『世阿弥を歩く』（権藤芳一と共著）を駸々堂出版より刊行。三月、「芹沢さんの蒐集」を「文芸春秋デラックス」に発表。七月、「鶴川日記」を「読売新聞」の自伝抄に連載。一〇月、『魂の呼び声――能物語』を平凡社より刊行。この本により、児童福祉文化賞奨励賞を受賞。「平等院のあけぼの」「『能』のかたち」「鎌倉街道を行く」を

「芸術新潮」(二月号・七月号・一一月号)に発表。「幻の山荘」を『探訪日本の庭7』(小学館刊)に書く。

一九七九年(昭和五四年) 六九歳

一月、「日本のたくみ」を「芸術新潮」に一年半連載。このため、現代の匠たちを訪ねる。三月、青山二郎死去。八月、「バーナード・リーチの芸術」を「学鐙」に発表。一一月、『道』を新潮社より刊行。一二月、『鶴川日記』を文化出版局より刊行。「近江の庭園」(『探訪日本の庭8』小学館刊)、「平等院の雲中供養仏」「日吉神社の十一面観音」(『日本の仏像』世界文化社刊)、「ある日の梅原さん」(『日本の名画18 梅原龍三郎』中央公論社刊)を書く。

一九八〇年(昭和五五年) 七〇歳

三月、「何者でもない人生 青山二郎」を「暮しの創造」に発表。九月、「お公家さん」を「芸術新潮」に発表。一二月、『花』を神無書房より刊行。「古寺を訪ねる心」「善悪不二の世界」「観るということ」(『古寺探訪』暁教育図書刊)、「室生寺にて」(『古色大和路』保育社刊)、「シャッターの音」(『四季大和路・続』集英社刊)を書く。

一九八一年(昭和五六年) 七一歳

五月、『日本のたくみ』を新潮社より刊行。「珍品堂主人秦秀雄」「遊鬼——鷗外『百物語』後日譚」を「芸術新潮」(七月号・一〇月号)に発表。「背面の国の古き寺々」「葛城山をめぐって」「お水取の不思議」を『探訪日本の古寺』(小学館刊)に書く。

一九八二年(昭和五七年) 七二歳

二月、『私の古寺巡礼』を法蔵館より刊行。八月、『縁あって』を青土社より刊行。「坂本の門前町」を『図説日本の町並み6 東海編』(第一法規出版刊)に書く。

一九八三年(昭和五八年) 七三歳

三月、小林秀雄死去。四月、「美を見る眼」

を「新潮」（小林秀雄追悼記念号）に発表。一〇月、「北京の天はさけたか　梅原龍三郎」を「芸術新潮」に発表。

一九八四年（昭和五九年）　七四歳
三月、『白洲正子が語る「能の物語」』（再版）を平凡社より刊行。九月、青土社より『白洲正子著作集』（全七巻）の第一巻の刊行がはじまる。一二月、『日本のたくみ』（新潮文庫）刊行。

一九八五年（昭和六〇年）　七五歳
一月、『草づくし』を新潮社より刊行。七月、『西国巡礼』（旺文社文庫）刊行。九月、『花にもの思う春』を平凡社より刊行。一一月、夫白洲次郎（八三歳）死去。遺言により葬式は行わず、遺族だけ集って酒盛りをする。

一九八六年（昭和六一年）　七六歳
「冥途へ行ってしまった『戦後史』」を「新潮45」（二月号）、「大往生　梅原龍三郎」を「芸術新潮」（三月号）に発表。四月、「西行」を「芸術新潮」（昭和六一年四月号～昭和六二年一二月号）に連載。このため、西行ゆかりの地を訪ねる。

一九八七年（昭和六二年）　七七歳
二月、「私の茶の湯観」を『茶道聚錦』（小学館刊）月報に書く。四月、「巨樹に魅せられて」を永瀬嘉平の写真集『百木巡礼』（佼成出版社刊）に書く。九月、『木――なまえ・かたち・たくみ』を住まいの図書館出版局より刊行。一一月、「何とかなるサ」を「新潮45」に発表。一二月、「冥途へいってしまった洲之内さん――『さらば、気まぐれ美術館』」を「芸術新潮」に発表。この年、はじめて友枝喜久夫の能「江口」の舞台をみる。名人の死とともに能の時代は終ったとあきらめていたが、名人友枝喜久夫の出現に驚き、再び能の世界にもどる。白内障の手術のため入院する。

一九八八年（昭和六三年）　七八歳

八月、「平等院鳳凰堂――極楽いぶかしくは」を『不滅の建築3』(毎日新聞社刊)に書く。一〇月、『西行』を新潮社より刊行。

一九八九年(昭和六四年・平成元年) 七九歳
一月、「西行の軽みについて」を「風土」に発表。一一月、『老木の花――友枝喜久夫の能』を求龍堂より刊行。同月、『遊鬼 わが師 わが友』を新潮社より刊行。「十一面観音」(『国宝への旅』日本放送出版協会刊)、「壬生狂言」(『仏教行事歳時記』第一法規出版刊)、「平城京の面影」(『日本美を語る3』ぎょうせい刊)を書く。秋、染織さろん「こうげい」を西武百貨店(渋谷)に開く。

一九九〇年(平成二年) 八〇歳
一月、「いまなぜ青山二郎なのか」を「新潮」に一二回にわたって連載。五月、「能の物語・弱法師」(河合隼雄との対談)を「創造の世界」(小学館刊)に掲載。九月、「翁の素謡」を「国立能楽堂」に発表。同月、「現代の侘びって何だ」(赤瀬川原平との対談)を「正論」に掲載。一〇月、NHKのラジオ・テキストに「世阿弥を語る」を書く。

一九九一年(平成三年) 八一歳
一月、「白洲正子自伝」を「芸術新潮」に、「観ること・聴くこと」を「L&G」(JR東海・新幹線の雑誌)に連載しはじめる。同月、「現代人のかくれ里考」(河合隼雄・鶴見俊輔との鼎談)を「潮」に掲載。同月、幼少から能に慣れ親しみ、その舞台体験をもとに、「かくれ里」はじめ、能や謡曲、仏像などの随筆や美術評論を数多く著し、日本文化の継承・発展につくした功績により、第七回「都文化賞」を受賞。四月、『かくれ里』(文芸文庫)を刊行。五月、「石押分之子の神語り――前登志夫『森の時間』について」、七月、「青山二郎の日記」を「新潮」に発表。『いまなぜ青山二郎なのか』を新潮社より刊行。九月、『雪月花』を神無書房より刊行。

一〇月、「魂には形がある」（河合隼雄との対談）を「新潮」に掲載。

一九九二年（平成四年）　八二歳

二月、「神憑りの神語り」（前登志夫との対談）を「新潮」に掲載。三月、『明恵上人』（文芸文庫）を刊行。七月、「前さんの風景」を「短歌」に発表。八月、『十一面観音巡礼』（文芸文庫）を刊行。一一月、「吉野山のもみじ」を「ポエチカ」に発表。「トマソン風座談」（尾辻克彦との対談）を「新潮」に掲載。一二月、「蜘蛛と金盥」を「新潮」に発表。

一九九三年（平成五年）　八三歳

一月、「今は昔　文士気質《かたぎ》」を「新潮」に発表。二月、「樹海でみつけた『老いの楽しみ』」（高橋延清との対談）を「芸術新潮」に掲載。四月、『お能・老木の花』（文芸文庫）を刊行。「心《しん》よりいでくる能」を「朝日新聞」夕刊に書く。五月、『対話―日本の文化について』を神無書房より刊行。七月、『お能の見方』新潮社より刊行。「吉田健一のこと」を「新潮」に発表。「よびつぎの文化」を古美術「緑青」No.10～No.12に掲載。「自分の時間」（青柳恵介との対談）を「小さな蕾」に掲載。九月、『随筆集　夕顔』を新潮社より刊行。「南北朝異聞」（前登志夫との対談）を「新潮」に掲載。一一月、写真集『姿　井上八千代・友枝喜久夫』（監修）を求龍堂より刊行。

一九九四年（平成六年）　八四歳

一月、「両性具有の美」を「新潮」に連載しはじめる。「日本談義」（ライアル・ワトソンとの対談）を「芸術新潮」に掲載。三月、『近江山河抄』（文芸文庫）を刊行。一〇月、『「ととや」の話』を「別冊太陽（青山二郎の眼）」に書く。一一月、『風姿抄』を世界文化社より刊行。『古典の細道』（文芸文庫）を刊行。一二月、『白洲正子自伝』を新潮社より刊行。

一九九五年（平成七年）　八五歳

二月、「〝ほんもの〟とは何だろう？」（アレックス・カーとの対談）を「芸術新潮」に掲載。三月、『名人は危うきに遊ぶ』（限定版）を荻生書房より刊行。五月、『白洲正子　私の骨董』を求龍堂より刊行。七月、『能の物語』（文芸文庫）を刊行。九月、「お能と臨死体験」（多田富雄との対談）を「新潮」に掲載。一一月、『日月抄』を世界文化社より刊行。『名人は危うきに遊ぶ』（改訂版）を新潮社より刊行。

一九九六年（平成八年）　八六歳

一月、友枝喜久夫（八八歳）死去。四月、『心に残る人々』（文芸文庫）を刊行。六月、『雨滴抄』を世界文化社より刊行。『西行』（新潮文庫）を刊行。一〇月、『風花抄』を世界文化社より刊行。「身体の不思議」（養老孟司との対談）を「新潮」に掲載。一一月、「明恵の夢ひらく」（河合隼雄との対談）を「芸術新潮」に掲載。「真贋のあいだ」を「太陽」に発表。『世阿弥』（文芸文庫）を刊行。

一九九七年（平成九年）　八七歳

三月、『両性具有の美』を新潮社より刊行。四月、「石に惹かれて近江へ」（青柳恵介との対談）を『白洲正子の世界』（コロナ・ブックス）に掲載。七月、『夢幻抄』を世界文化社より刊行。一〇月、『おとこ友達との会話』を新潮社より刊行。

一九九八年（平成一〇年）　八八歳

四月、写真集『花日記』（写真・藤森武）を世界文化社より刊行。九月、「人の悲しみと言葉の命」（車谷長吉との対談）を「文学界」に掲載。『美しくなるにつれて若くなる』を角川春樹事務所より刊行。一〇月、『独楽抄』を世界文化社より刊行。一二月二六日、肺炎のため入院先の日比谷病院にて死去。

（森　孝一編）

著書目録――白洲正子

【単行本】

お能　昭18・11　昭和刊行会
たしなみについて　昭23・4　雄鶏社
梅若実聞書　昭26・4　能楽書林
私の芸術家訪問記　昭30・4　緑地社
お能の見かた　昭32・6　東京創元社
韋駄天夫人　昭32・11　ダヴィッド社
きもの美―選ぶ眼・着る心　昭37・3　徳間書店
心に残る人々　昭38・3　講談社
能面　昭38・6　求龍堂
花と幽玄の世界―世阿弥　昭39・2　宝文館出版
巡礼の旅―西国三十三ヵ所　昭40・3　淡交新社
栂尾高山寺 明恵上人　昭42・11　講談社
古典の細道　昭45・12　新潮社
かくれ里　昭46・12　新潮社
ものを創る　昭48・10　読売新聞社
謡曲平家物語紀行 上・下　昭48・11、12　平凡社
近江山河抄　昭49・2　駸々堂出版
骨董夜話＊　昭50・4　平凡社
古典夜話＊（対談・円地文子）　昭50・12　平凡社
十一面観音巡礼　昭50・12　新潮社
やきもの談義＊　昭51・10　駸々堂出版

（対談・加藤唐九郎）
私の百人一首　昭51・12　新潮社
世阿弥を歩く＊　昭53・2　駸々堂出版
魂の呼び声―能物語　昭53・10　平凡社
道　昭54・11　新潮社
鶴川日記　昭54・12　文化出版局
花　昭55・12　神無書房
日本のたくみ　昭56・5　新潮社
私の古寺巡礼　昭57・2　法蔵館
縁あって　昭57・8　青土社
草づくし＊　昭60・1　新潮社
花にもの思う春　昭60・9　平凡社
木―なまえ・かたち・たくみ　昭62・9　住まいの図書館出版局
西行　昭63・10　新潮社
老木の花―友枝喜久夫の能　平1・11　求龍堂
遊鬼　わが師　わが友　平1・11　新潮社
いまなぜ青山二郎なのか　平3・7　新潮社
雪月花　平3・9　神無書房
対話―日本の文化について　平5・5　神無書房
お能の見方＊　平5・7　新潮社
（写真・吉越立雄）
随筆集　夕顔　平5・9　新潮社
姿　井上八千代・友枝喜久夫＊　平5・11　求龍堂
風姿抄　平6・11　世界文化社
白洲正子自伝　平6・12　新潮社
名人は危うきに遊ぶ（限定版）　平7・3　荻生書房
白洲正子　私の骨董　平7・5　求龍堂
日月抄　平7・9　世界文化社
名人は危うきに遊ぶ（改訂版）　平7・11　新潮社
雨滴抄　平8・4　世界文化社
風花抄　平8・10　世界文化社
両性具有の美　平9・3　新潮社
夢幻抄　平9・7　世界文化社

おとこ友達との会話　平9・10　新潮社
花日記＊　平10・4　世界文化社
（写真・藤森武）
美しくなるにつれて若くなる　平10・9　角川春樹事務所
独楽抄　平10・10　世界文化社
器つれづれ　平11・7　世界文化社
（写真・藤森武）
行雲抄　平11・11　世界文化社

【全集】
白洲正子著作集　全七巻　昭59・9〜60・3　青土社

【文庫】
日本のたくみ　昭59・12　新潮文庫
かくれ里（人＝青柳恵介　年＝森孝一　著）　平3・4　文芸文庫
明恵上人（人＝河合隼雄　年＝森孝一　著）　平4・3　文芸文庫
十一面観音巡礼（人＝小川光三　年＝森孝一　著）　平4・8　文芸文庫
お能・老木の花（人＝渡辺保　年＝森孝一　著）　平5・4　文芸文庫
近江山河抄（人＝前登志夫　年＝森孝一　著）　平6・3　文芸文庫
古典の細道（人＝勝又浩　年＝森孝一　著）　平6・11　文芸文庫
能の物語（人＝松本徹　年＝森孝一　著）　平7・7　文芸文庫
心に残る人々（人＝中沢けい　年＝森孝一　著）　平8・4　文芸文庫
西行（解＝福田和也）　平8・6　新潮文庫

世阿弥（人=水原紫苑　年=森孝一　著）　平8・11　文芸文庫
夕顔（解=古澤万千子）　平9・3　新潮文庫
遊鬼　わが師　わが友（解=阿川佐和子）　平10・7　新潮文庫
謡曲平家物語（解=水原紫苑　年=森孝一　著）　平10・2　文芸文庫
いまなぜ青山二郎なのか（解=小島千加子）　平11・3　新潮文庫
西国巡礼（解=多田富雄　年=森孝一　著）　平11・6　文芸文庫
名人は危うきに遊ぶ（解=赤瀬川原平）　平11・6　新潮文庫
白洲正子自伝（解=車谷長吉）　平11・10　新潮文庫

「著書目録」には原則として編著・再刊本等は入れなかった。／＊は対談・共著等を示す。／【文庫】は本書初刷刊行日現在の各社最新版「解説目録」に掲載されているものに限った。（　）内の略号は、解=解説　人=人と作品　年=年譜　著=著書目録を示す。

（作成・森　孝一）

参考文献——白洲正子

単行本

白洲正子を読む　平8・1　求龍堂
白洲正子の世界　平9・4　平凡社
コロナ・ブックス

雑誌特集

白洲正子　清々しき遊び　平6・1　アサヒグラフ
白洲正子の美の世界　平5・4　フィガロ
白洲正子＋アレックス・カー　〝ほんもの〟とは何だろう？　平6・2　芸術新潮
白洲正子の世界　平7・2　太陽
白洲正子　平11・2　ユリイカ
白洲正子（全一冊）　平11・12　芸術新潮

（作成・森　孝一）

本書は、一九八二年二月、法蔵館刊『私の古寺巡礼』を底本とし、多少ふりがなを加えた。「葛川　明王院」「こもりく　泊瀬」は各々『かくれ里』『十一面観音巡礼』と重複するが、底本の構成を尊重して収録した。なお、一九九七年五月、同書の増補新版が法蔵館より刊行された。

私《わたくし》の古寺《こじ》巡礼《じゅんれい》

白洲《しらす》正子《まさこ》

二〇〇〇年四月一〇日第一刷発行　二〇〇九年一月五日第一五刷発行

発行者——中沢義彦

発行所——株式会社　講談社

東京都文京区音羽2・12・21　〒112-8001

電話　編集部（03）5395・3513

販売部（03）5395・5817

業務部（03）5395・3615

デザイン—菊地信義

製版——豊国印刷株式会社

印刷——豊国印刷株式会社

製本——株式会社国宝社

Printed in Japan

定価はカバーに表示してあります。

落丁本・乱丁本は購入書店名を明記のうえ、小社業務部宛にお送りください。送料は小社負担にてお取替えします。

なお、この本の内容についてのお問い合せは文芸文庫出版部宛にお願いいたします。

講談社
文芸文庫

ISBN4-06-198208-7

阿川弘之——舷燈　岡田 睦——解／進藤純孝——案
阿川弘之——青葉の翳り 阿川弘之自選短篇集　富岡幸一郎-解／岡田 睦——年
阿川弘之——鮎の宿　岡田 睦——年
阿部昭———単純な生活　松本道介—解／栗坪良樹—案
秋山駿———内部の人間の犯罪 秋山駿評論集　井口時男—解／著者———年
青山二郎——鎌倉文士骨董奇譚　白洲正子—人／森 孝一——年
青山二郎——眼の哲学｜利休伝ノート　森 孝一——人／森 孝一——年
網野菊———一期一会｜さくらの花　竹西寛子—解／藤本寿彦—案
安部公房——砂漠の思想　沼野充義—人／谷 真介——年
安部公房——終りし道の標べに　リービ英雄-解／谷 真介——案
芥川龍之介-上海游記｜江南游記　伊藤桂一—解／藤本寿彦—年
有吉佐和子-地唄｜三婆 有吉佐和子作品集　宮内淳子—解／宮内淳子—年
安藤鶴夫——歳月 安藤鶴夫随筆集　槌田満文—解／槌田満文—年
安東次男——花づとめ　齋藤愼爾—解／齋藤愼爾—年
芥川比呂志-ハムレット役者 芥川比呂志エッセイ選 丸谷才一編　芥川瑠璃子-年
東文彦———東文彦作品集　山岡頼弘—解／編集部——年
石川淳———紫苑物語　立石 伯——解／鈴木貞美—案
石川淳———江戸文学掌記　立石 伯——人／立石 伯——年
石川淳———安吾のいる風景｜敗荷落日　立石 伯——人／立石 伯——年
石川淳———普賢｜佳人　立石 伯——解／石和 鷹——案
石川淳———焼跡のイエス｜善財　立石 伯——解／立石 伯——年
磯田光一——永井荷風　吉本隆明—解／藤本寿彦—案
井伏鱒二——還暦の鯉　庄野潤三—人／松本武夫—年
井伏鱒二——厄除け詩集　河盛好蔵—人／松本武夫—年
井伏鱒二——夜ふけと梅の花｜山椒魚　秋山 駿——解／松本武夫—年
伊藤整———日本文壇史 1 開化期の人々　紅野敏郎—解／樋口 覚——案
伊藤整———日本文壇史 2 新文学の創始者たち　曾根博義—解
伊藤整———日本文壇史 3 悩める若人の群　関川夏央—解
伊藤整———日本文壇史 4 硯友社と一葉の時代　久保田正文-解
伊藤整———日本文壇史 5 詩人と革命家たち　ケイコ・コックムー解
伊藤整———日本文壇史 6 明治思潮の転換期　小島信夫—解
伊藤整———日本文壇史 7 硯友社の時代終る　奥野健男—解
伊藤整———日本文壇史 8 日露戦争の時代　高橋英夫—解
伊藤整———日本文壇史 9 日露戦後の新文学　荒川洋治—解

▶解=解説 案=作家案内 人=人と作品 年=年譜を示す。 2008年12月現在